KB156562

보행 훈련, 어떻게 해야 할까?

신경계 재활
치료사를 위한 보행 훈련 방법

저자 **이 성 철** (서울재활병원)

FOCUSING ON ACTIVITY TRAINING

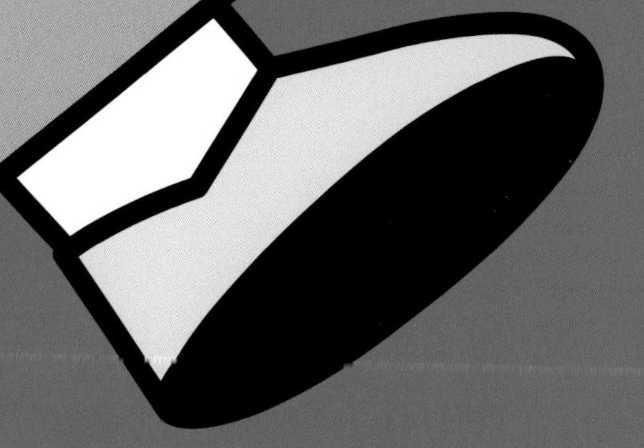

KOONJA

보행 훈련, 어떻게 해야 할까?

신경계 재활-치료사를 위한 보행 훈련 방법

(Focusing on activity training)

1판 1쇄 인쇄 | 2021년 11월 08일
1판 1쇄 발행 | 2021년 11월 15일

지 은 이 이성철
발 행 인 장주연
출 판 기 획 한인수
책 임 편 집 임유리
표지디자인 양란희
편집디자인 정다운
일 러 스 트 정다운
발 행 처 군자출판사
등록 제4-139호(1991. 6. 24)
(10881) 파주출판단지 경기도 파주시 회동길 338(서패동 474-1)
전화 (031)943-1888 팩스 (031)955-9545
www.koonja.co.kr

ISBN 979-11-5955-774-3
정가 15,000원

보행 훈련,
어떻게 해야 할까?

신경계 재활

치료사를 위한 보행 훈련 방법

(Focusing on activity training)

PREFACE

이 성 철(서울재활병원)

물리치료사. 2009년부터 서울재활병원 성인 신경계 재활 파트에서 근무 중이다. 신경계 손상 환자의 보행 능력 회복을 위해 연구하고 있으며, 서울재활병원의 <보행 관찰 분석 시스템>을 마련하였다. 2013년부터 서울재활병원 <보행 훈련 세미나>에서 강사로 활동하고 있고, 신경계 재활 신규 치료사를 위한 <멘토링 프로그램>을 운영하고 있다. 서울재활병원 유튜브의 <자가 운동 프로그램> 제작에 참여하였고, 유튜브 채널 <About Gait>를 운영하고 있다.

서울재활병원은 1999년, BWSTT 시스템을 도입하여 부분 체중 부하 트레드밀 보행 훈련을 시행하였습니다. 2009년에는 LOKOMAT를 국내 재활병원 최초로 도입하여 로봇 보행 훈련 시스템을 마련하였고, 2019년에는 보행 관찰 분석 평가 시스템을 도입하여 보행 장애 환자의 데이터를 수집하는 시스템을 구축하였습니다. 이러한 서울재활병원의 축적된 노하우와 경험을 나누고자 2010년부터 매년 보행 훈련 세미나를 열고 있습니다. 본 저자는 해당 세미나의 4회부터 강사로 활동했고, 그곳에서 발표했던 내용을 정리하여 책으로 쓰게 되었습니다.

신경계 재활에서 보행 훈련은 매우 중요한 요소입니다. 그래서 보행 훈련과 관련된 좋은 전문 서적들은 많이 있지만, 그 내용이 어렵고 실제 사례와 적용하기 어려운 점이 있습니다. 이에 저자는 본서를 통해 조금 더 쉽게 공부하고 실제 사례에서 적용할 수 있도록 하기 위해 고민하였습니다. 세미나에서 발표하는 것과 글을 쓰는 것은 큰 차이가 있었습니다. 전하고자 하는 메시지가 함축적이고 경우에 따라 다른 의미가 될 수 있기 때문에 의도하지 않은 오해를 불러일으킬 수 있다고 생각합니다. 본서를 읽고 보행 훈련과 관련된 의견 또는 의문이 있으면 언제든지 문의해주기 바랍니다. ✉ leessung7@gmail.com

좋은 스승을 만난다는 것은 언제나 감사한 일입니다. 제가 서울재활병원에서 좋은 선임 치료사들을 만날 수 있었고 그들에게서 좋은 교육을 받을 수 있었던 것은 매우 행운이었습니다. 이 책을 쓰는 데 도움을 주신 여러 선생님의 지지와 격려에 감사를 전하고자 합니다. 이론적 배경이 되는 생체역학을 쉽고 재밌게 공부하는 방법을 알려주신 송인의 실장님, 과제지향접근법의 임상 적용 사례를 보여주신 추도연 치료 과장님, 이 책이 나올 수 있도록 도와주시고 늘 격려해 주시는 서울재활병원 이지선 병원장님께 큰 감사를 전합니다. 또한 성인물리치료팀 선생님들, 실습 학생, 치료 과정에서 만나는 환자들을 통해 매번 배우고 성장해가고 있습니다. 고맙습니다.

더불어 Janet Carr & Roberta Shepherd 교수님이 쓰신 『Neurological Rehabilitation: Optimizing motor performance』는 저에게 가장 큰 영향을 끼쳤습니다. 신경계 재활을 공부하는 치료사에게 제일 먼저 추천하고 싶은 책입니다. 이문규 선생님의 '기능성을 위한 평가의 틀', '보행 훈련 넌 어떻게 하니?', 'Coordinative Locomotor Training' 강의 또한 저에게 많은 영향을 주어 신경계 재활의 틀을 만들 수 있었습니다.

마지막으로 저에게 갚을 수 없는 사랑을 주시고 항상 기도해주시는 부모님, 그리고 변함없이 나를 지지해주는 최고의 친구 JH에게 감사를 전합니다.

저자 **이성철**

CONTENTS

보행의 생체역학 (운동학)

PART 01

제01장 보행을 설명하는 용어

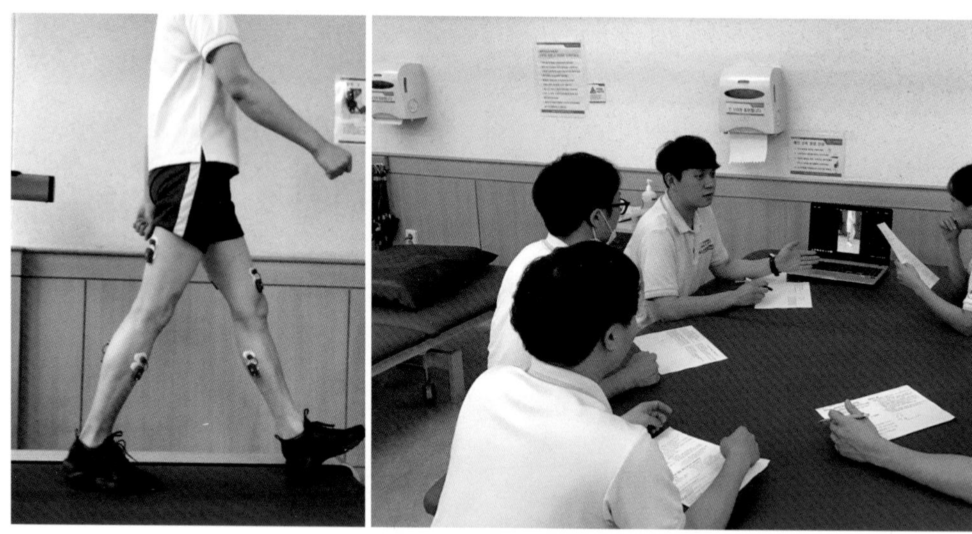

그림 1-1 환자의 걷는 모습을 보고, 동작을 설명하거나 치료사 간 의사소통을 하기 위해서는 관련된 용어를 알아야 한다.

01. 보행을 설명하기 위한 용어

사람이 걷는 동안 신체의 움직임을 말로 설명하기 위해서는 관련된 용어가 필요하다. 과거부터 현재까지 많은 용어가 만들어졌는데, 치료사는 이 용어를 이용해 보행을 설명하게 된다. 그렇기에 치료사는 보행을 표현하는 공통된 용어를 알아야 한다.

그래서 첫 주제는 보행을 설명하는 용어를 살펴보고 각각의 의미를 정확하게 이해하는 것이다. 치료사와 의사소통을 하는 데 공통된 용어를 사용하면 좀 더 의미 있는 대화를 나눌 수 있다.

02. 시간적 · 공간적 변수를 설명하는 용어

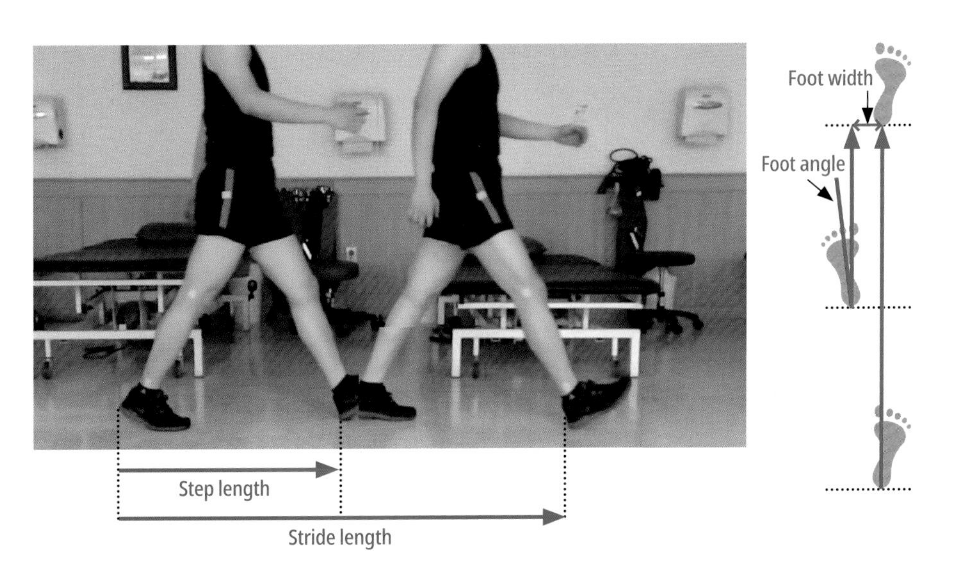

Step length: 70 cm Stride length: 140 cm Step width: 8 cm

Foot angle: 7° Cadence (steps/min): 120회/min

* 걸음 길이(stride length)는 흔듦기(swing phase) 동안 이동한 거리를 말한다.

그림 1-2 보행의 시간적 · 공간적 설명(수치는 사람마다 차이가 있다)

- **보폭(step length)**: 한쪽 발뒤꿈치에서부터 반대쪽 발뒤꿈치까지의 거리
- **걸음 길이(stride length)**: 한쪽 발뒤꿈치에서부터 다시 닿은 뒤꿈치까지의 거리
- **걸음 너비(step width)**: 양쪽 뒤꿈치 사이의 너비
- **발 각도(foot angle)**: 걸음의 진행 면에서, 발바닥의 세로축이 바깥을 향하고 있는 각도
- **분당 걸음 수(cadence)**: 시간적 변수로 1분에 간 걸음(step)의 횟수

임상에서 시간적 · 공간적 변수 중 중요한 것이 바로 보폭(step length)이다. 환자의 보폭을 가지고 보행의 비대칭을 눈으로 쉽게 관찰할 수 있다. 뇌졸중 환자의 경우 비대칭 보폭을 관찰할 수 있는데, 마비측 보폭이 비마비측 보폭보다 더 큰 경우가 종종 있다. 이유는 딛고 있는 마비측 다리의 안정성이 저하되어 앞으로 이동하는 비마비측의 보폭이 줄어들게 되기 때문이다. 이렇게 보폭을 가지고 환자의 보행을 관찰하고, 보행의 비대칭을 평가할 수 있다.

또 기억해야 하는 것은 걸음 길이(stride length)이다. 걸음 길이는 발 뒤꿈치에서부터 다시 닿은 뒤꿈치까지의 거리를 말한다. 다시 말하면 흔듦기(swing phase) 동안 다리의 이동거리를 말한다. 이는 뒤에서 더 자세히 설명하겠다.

03. 보행 주기(Gait cycle)

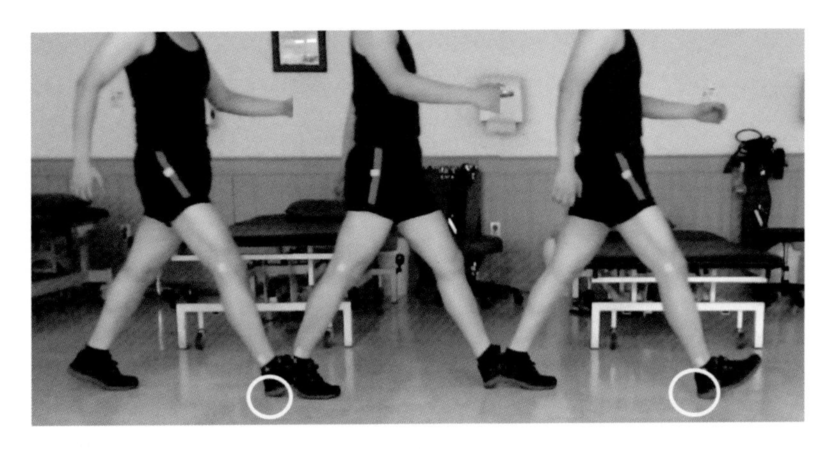

그림 1-3 보행주기(Gait cycle)

보행은 다리를 이용하여 신체를 한 장소에서 다른 장소로 이동하는 활동(activity)을 말한다. 보행 동안 디딤기(stance phase)와 흔듦기(swing phase)가 합쳐져서 기본적인 보행주기(gait cycle)가 된다. 디딤기는 발이 지면에 닿고 있는 체중을 지지하는 기간이고, 흔듦기는 발이 지면에서 떨어져 앞으로 이동하는 기간이다. 보행 동안 보행주기는 반복해서 일어나며, 이 보행주기로 보행을 설명한다. 다른 설명이 없다면 오른쪽 발을 기준으로 설명하고, 반대쪽 발은 왼쪽 발을 지칭한다.

04. 보행주기를 설명하는 시점, 기간 그리고 과제 용어

보행을 설명하는 용어는 다양하다. 과거에 사용하던 용어가 현재에는 의미가 변하기도 하고, 필요에 따라 새로운 용어가 생겨나기도 한다.

질문!

보행주기를 설명하는 용어 중에 중간 디딤기(mid stance)가 있다.
다음 그림 1-4에서 중간 디딤기(mid stance)는 무엇일까?

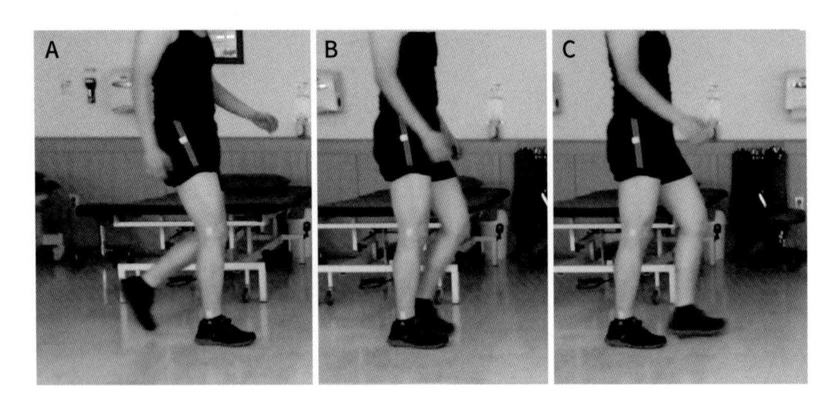

그림 1-4 중간 디딤기(mid stance)는 무엇인가?

예를 들면, 중간 디딤기(mid stance)의 경우 예전에는 디딤기(stance phase)의 중간 지점을 설명하는 시점의 의미가 있었다(그림 1-4B). 그러나 현재는 오른쪽 발을 기준으로 반대쪽 발이 떨어진 시점부터 딛고 있는 다리의 뒤꿈치가 떨어지는 시점까지의 기간을 설명하는 용어로 사용되고 있다. 그래서 위 질문의 정답은 그림 1-4A, 그림 1-4B, 그림 1-4C 모두가 중간 디딤기의 기간에 속한다는 것이다.

다시 말하면 중간 디딤기 용어가 과거에는 시점으로 사용했다면, 현재는 기간으로 사용되고 있다. 중요한 것은 중간 디딤기의 의미를 정확하게 모두 알고 있다면 시점으로 사용했는지 기간으로 사용했는지 구분할 수 있다는 것이다.

여러 용어를 어떻게 구분하는지, 그리고 무엇을 의미하는지 이해하자.

05. 시점 용어(과거)

Heel strike

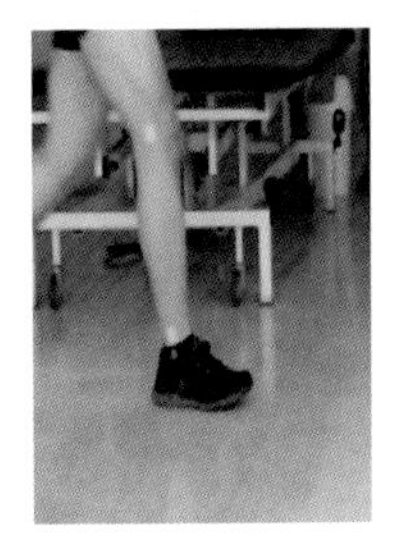
Foot flat

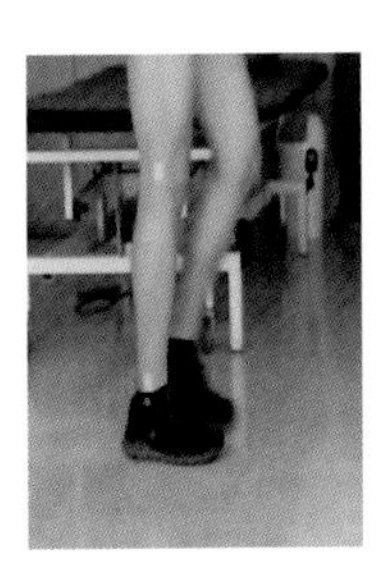
Mid stance

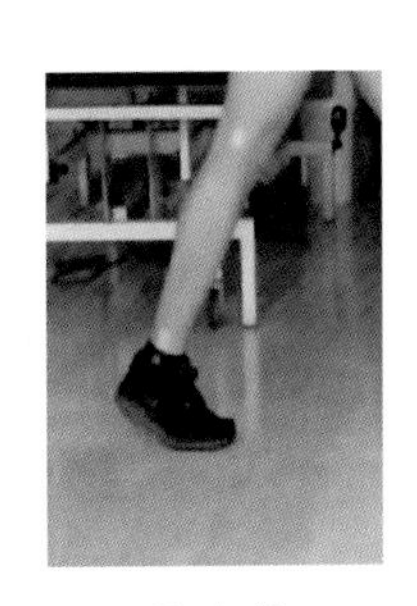
Heel off

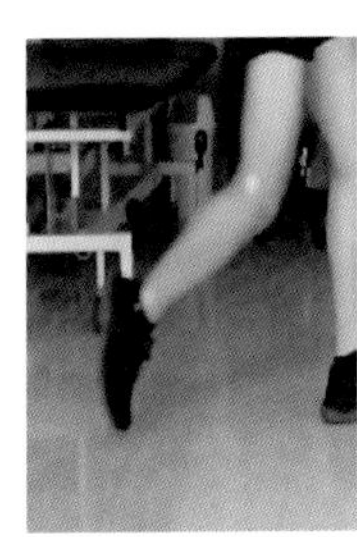
Toe off

그림 1-5 시점 용어(과거)

시점 용어는 발과 지면 사이의 한 사건, 즉 말 그대로 시점을 설명한다.

하단의 시점 용어는 과거에 사용하던 용어이다.[1)]

- **뒤꿈치 치기(heel strike)**: 발뒤꿈치가 지면에 부딪치는 시점
- **발바닥 닿기(foot flat)**: 발바닥이 지면에 닿는 시점
- **중간 입각기(mid stance)**: 입각기의 중간 시점, 발 안쪽으로 체중심이 지나가는 순간
- **뒤꿈치 떼기(heel off)**: 발뒤꿈치가 지면에서 떨어지는 시점
- **발가락 떼기(toe off)**: 발가락이 지면에서 떨어지는 시점

06. 기간 용어

우리가 일반적으로 알고 있는 용어이다.[2)]

Initial contact	Loading response	Mid stance	Terminal stance	Pre-swing	Initial swing	Mid swing	Terminal swing

그림 1-6 기간 용어

현재 우리가 일반적으로 사용하고 있는 용어는 란초 로스 아미고스 재활센터(Rancho los amigos national rehabilitation center)에서 만든 용어이다. 이 용어는 사건과 사건 사이의 기간을 설명한다. 그래서 이 책에서는 기간 용어라고 하였다.

란초 로스 아미고스 재활센터에서는 왜 기간 용어를 만들었을까? 시점 용어는 동작의 한 시점을 설명하지만, 그 이외의 기간을 설명하기 부족하다. 그래서 동작의 기능을 설명하기 위하여 기간 용어가 만들어졌다고 생각한다.

* 란초 로스 아미고스 재활센터에서는 기간 용어를 단계(phase)로 지칭하고 있지만, 여기에서는 기간(period)으로 사용하였다.

시점 용어는 사건을 설명하고, 기간 용어는 기간을 설명한다. 기간 용어는 시작 시점과 끝 시점을 가지고 있다. 그 시작과 끝이 시점 용어이다.

결론은 시점 용어와 기간 용어를 모두 알아야 한다는 것이다.

07. 시점 용어(현재)

발과 지면 사이의 사건(events)을 설명한다.[3)]

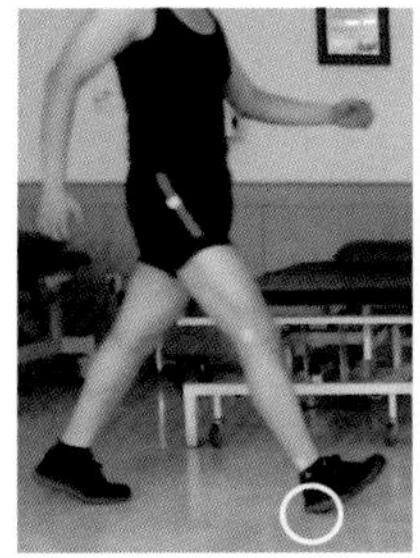

Initial contact

Opposite toe off

Heel rise

Opposite initial contact

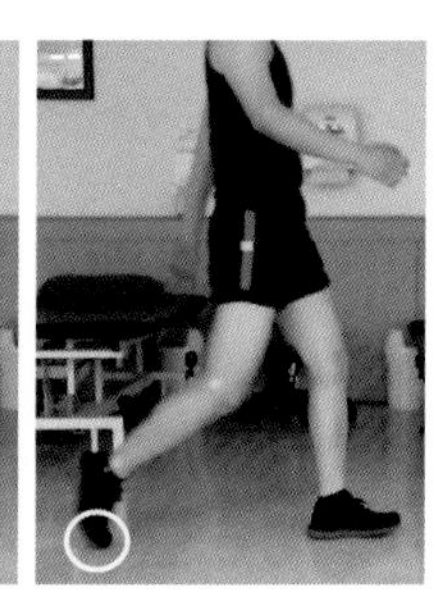

Toe off

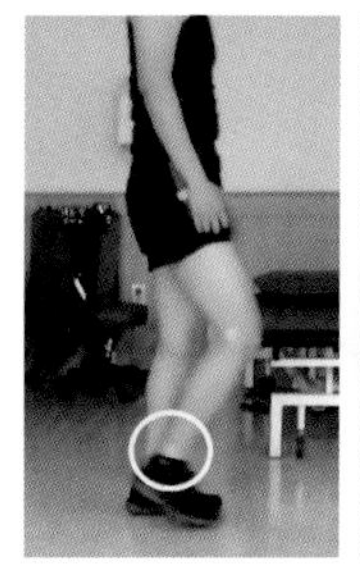

Feet adjacent

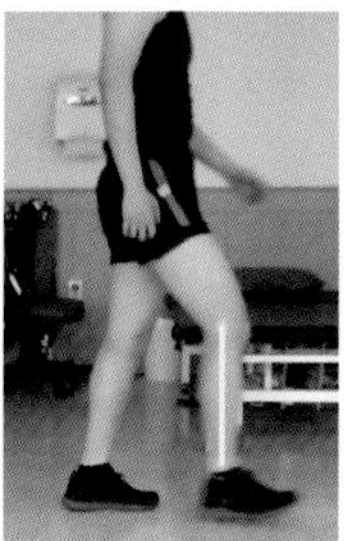

Tibia vertical

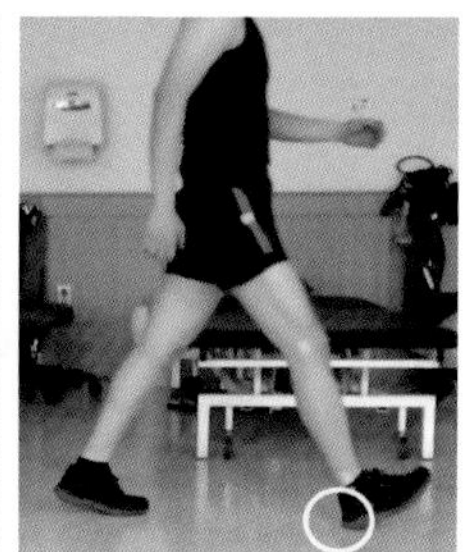

Next initial contact

그림 1-7 시점 용어. 사진에 표시된 부분을 확인하자.

보행주기 동안 발과 지면 사이에 일어나는 사건(events)을 순서에 따라 나열하면 다음과 같다.

① **초기 닿기(initial contact, IC):** 보행주기가 시작되는 사건이다. 발뒤꿈치가 지면에 닿는다.

② **반대쪽 발가락 떼기(opposite toe off):** 반대쪽 발가락이 지면에서 떨어진다.

③ **뒤꿈치 들기(heel rise):** 뒤꿈치가 지면에서 떨어진다.

④ **반대쪽 초기 닿기(opposite IC):** 반대쪽 발뒤꿈치가 지면에 닿는다.

⑤ **발가락 떼기(toe off):** 발가락이 지면에서 떨어진다.

⑥ **양발 인접(feet adjacent):** 양발이 겹쳐지는 시점이다.

⑦ **정강이 수직(tibia vertical):** 정강이가 지면에 수직이 되는 시점이다.

⑧ **다음 초기 닿기(next initial contact):** 다시 발뒤꿈치가 지면에 닿는다.

08. 기간 용어

사건 사이의 기간(periods)을 설명한다.

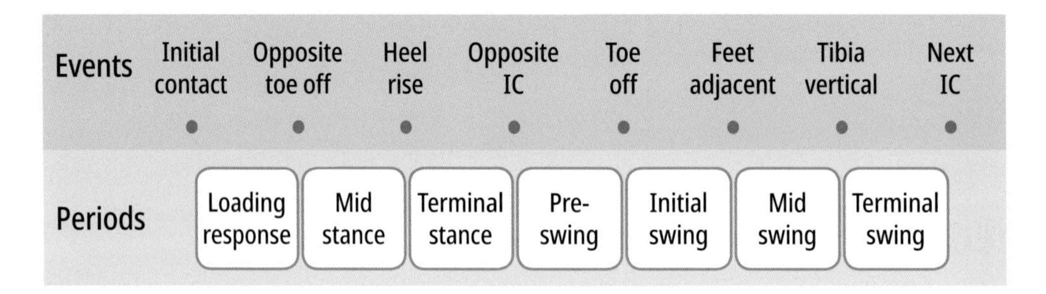

그림 1-8 시점과 기간 용어

기간을 나타내는 용어는 다음과 같다.

- 부하 반응기(Loading Response, LR)

  initial contact ~ opposite toe off

- 중간 디딤기(Mid Stance, MSt)

  opposite toe off ~ heel rise
- 후기 디딤기(Terminal Stance, TSt)

  heel rise ~ opposite initial contact
- 전 흔듦기(Pre Swing, PSw)

  opposite initial contact ~ toe off
- 초기 흔듦기(Initial Swing, ISw)

  toe off ~ feet adjacent
- 중간 흔듦기(Mid Swing, MSw)

  feet adjacent ~ tibia vertical
- 후기 흔듦기(Terminal Swing, TSw)

  tibia vertical ~ next initial contact

＊ Initial contact은 시점이지만 다른 문헌에서는 기간으로 설명하기도 한다.[4)]

이렇게 보행주기 동안의 사건을 설명하는 시점 용어와 기간을 설명하는 기간 용어를 알아보았다. 시점과 기간을 구분하는 것이 보행주기를 공부할 때 제일 먼저 알아야 하는 내용이다. 반복해서 외우고 이해하자.

다음은 보행주기 동안 다리가 수행하는 기능과 역할은 어떤 것이 있는지 알아보도록 한다.

09. 두 다리 지지기(Double limb support)

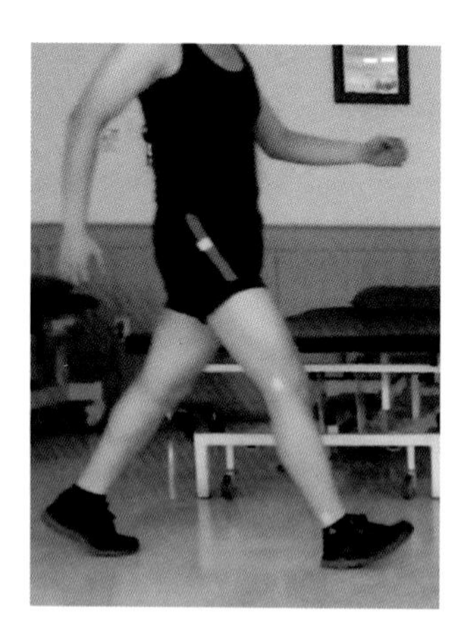

그림 1-9 Double Limb Support (DLS): 양 발이 동시에 지면에 접촉하고 있는 시기. 두 다리 지지기 동안 체중은 한 다리(PSw)에서 다른 다리(LR)로 이동된다.

보행주기는 디딤기(stance phase)와 흔듦기(swing phase)로 나눈다. 디딤기는 발이 지면에 접촉하고 있는 단계(phase), 흔듦기는 발이 지면에서 떨어져있는 단계를 말한다. 디딤기는 두 다리 지지기(double limb support)와 한 다리 지지기(single limb support)로 나눈다.

한 다리 지지기(single limb support)는 한 발이 지면에 접촉하고 있는 시기를 말하고, 두 다리 지지기(double limb support)는 두 발이 동시에 지면에 접촉하고 있는 시기를 말한다. 두 다리 지지기 동안 다리는 어떤 기능을 수행할까? 이 기간 동안에는 체중 이동이 일어나는데, 이때 앞의 다리는 체중을 수용하는 기능을 수행하고, 뒤에 있는 다리는 체중을 넘겨주는 기능을 수행한다. 두 다리 지지기에서 체중을 수용하는 다리를 부하 반응기(loading response)라고 하고, 체중을 넘겨주는 다리를 전 흔듦기(pre swing)라고 부른다.

이렇게 다리는 보행주기의 기간 동안 어떤 목적을 달성하고, 기능을 수행하는 역할을 가지고 있다. 이것이 무엇인지 알아보도록 한다.

10. 과제 용어

보행 동안 다리는 달성해야 하는 과제(tasks; 기능, 역할)가 있다.

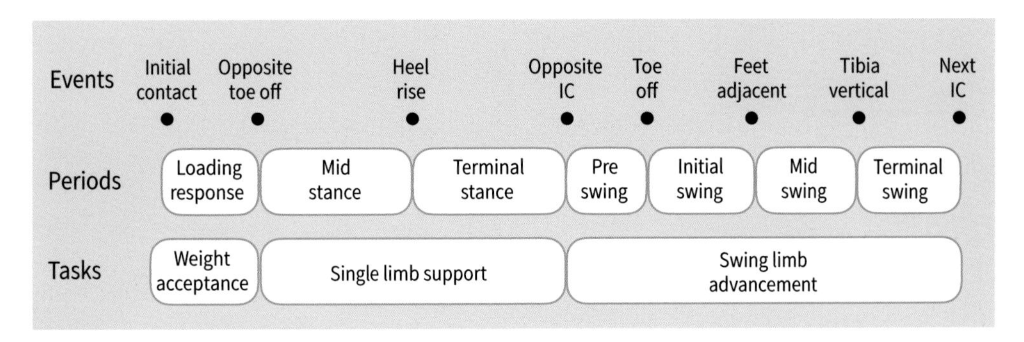

그림 1-10 3가지 기능적 과제(functional tasks)와 기간(periods)[5)]

보행 동안 다리가 달성해야 하는 기능적 과제는 체중 수용기(Weight Acceptance, WA), 한 다리 지지기(Single Limb Support, SLS), 다리 전진기(Swing Limb Advancement, SLA)로 3가지가 있다. 각각 어떤 기능과 역할이 있는지 알아보자.

11. 보행의 3가지 기능적 과제

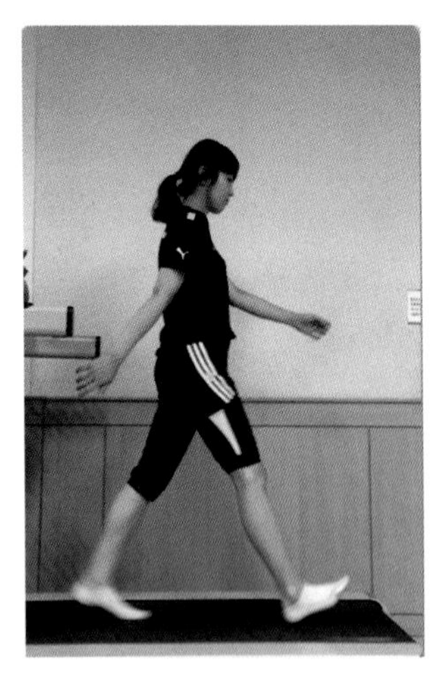

1) 체중 수용기(Weight acceptance)

- 역할(functional demands)
  - 체중 수용
  - 충격 흡수(shock absorption)
  - 초기 닿기 안정성(initial limb stability)
  - 정강뼈 이동(tibia progression)

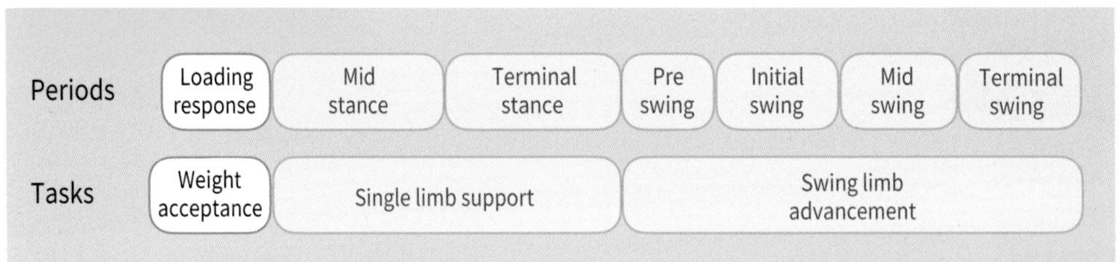

그림 1-11 체중 수용기(weight acceptance)

첫 번째 과제는 체중 수용기(weight acceptance)이다. 다리는 체중을 지지하고 서야 한다. 그리고 처음 지면에 발이 닿을 때 발목관절의 안정성이 필요하며, 발이 닿으면서 발생하는 충격을 흡수해야 한다. 이후 발이 지면에 닿고, 정강뼈(tibia)는 계속 앞으로 이동하여 무릎관절의 굽힘을 만든다. 무릎관절의 굽힘 역시 충격 흡수와 연관이 있다.

초기 닿기(initial contact)와 부하 반응기(loading response)는 체중 수용기(weight acceptance) 과제를 수행한다.

2) 한 다리 지지기(Single limb support)

- 역할(functional demands)
  - 한 다리로 서기(one leg standing)
  - 체중심의 최대 높이(maximum height of COM)
  - 반대쪽 보폭을 위한 추가적인 엉덩관절 폄
    Extension for contralateral step length - TSt

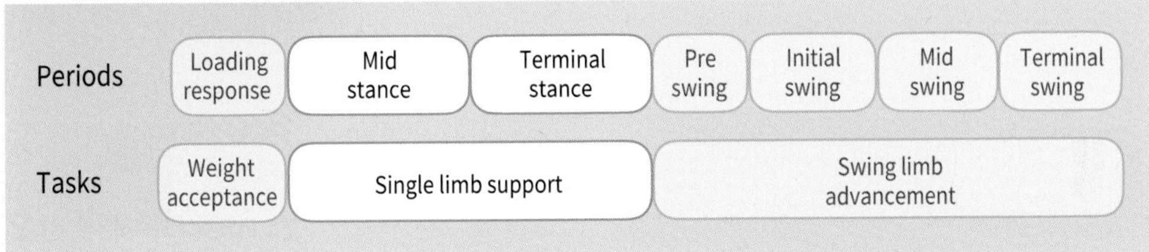

그림 1-12 한 다리 지지기(single limb support)

두 번째 과제는 한 다리 지지기(single limb support)이다. 반대쪽 다리가 앞으로 지나가는 동안 한 다리로 서서 신체를 지지하고 있어야 한다. 반대쪽 발이 끌리지 않도록 신체의 최대 높이(mid stance; 다리 관절의 폄)를 수행하고, 그 다음은 반대쪽 다리의 보폭을 위해서 딛고 있는 다리의 엉덩관절 폄을 수행해야 하는데, 이것을 추가적인 폄이라고 하고 이는 후기 디딤기(terminal stance)의 역할이다.

보행주기에서 가장 불안정한 기간은 후기 디딤기(terminal stance)라고 할 수 있다. **임상에서** 신경계 손상 환자에게 한 다리로 서기는 어려운 과제이다. 여기에 더하여 후기 디딤기는 디딤발에서(BOS) 신체의 질량중심(COM)이 앞으로 멀어지는 아주 불안정한 과정이다.

실제로 환자들의 보행에서 후기 디딤기(엉덩관절의 추가적인 폄)를 관찰하기는 어렵다. 빠른 속력으로 걷는 환자의 경우 엉덩관절의 폄이 나타나지만, 속력이 느린 환자는 엉덩관절의 폄이 나타나지 않는 것을 관찰할 수 있다.

중간 디딤기와 후기 디딤기는 한 다리 지지기 과제를 수행한다.

3) 다리 전진기(Swing limb advancement)

- 역할(functional demands)
  - 이동을 위한 준비(preparing to move) - PSw
  - 발끌림 없이 이동(foot clearance)
  - 걸음 길이(stride) 이동

  Advances to complete the stride length

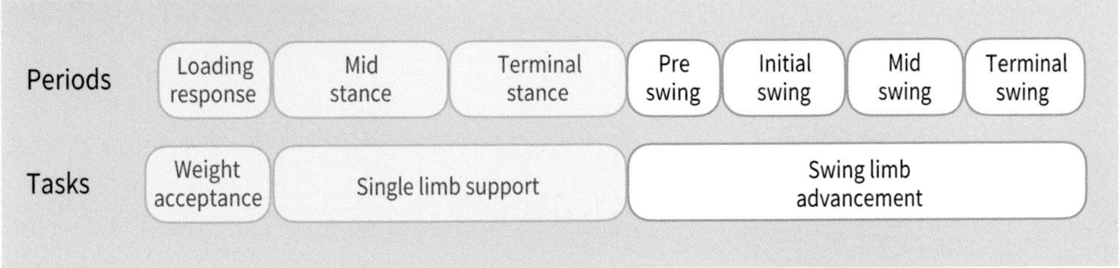

그림 1-13 다리 전진기(swing limb advancement)

세 번째 과제는 다리 전진기(swing limb advancement)이다. 다리를 앞으로 이동하는 것이다. 이를 위한 역할은 3가지가 있다.

먼저 발을 앞으로 옮기기 위해서 전 흔듦기(pre swing) 동안 다리를 짧게 만들고자 무릎관절의 굽힘이 일어난다. 이것을 '이동을 위한 준비'라고 한다. 이때 체중을 이동시키고 무릎관절에서 굽힘이 일어나 다리를 짧게 만든다. Pre swing의 뜻에는 이동(swing) 이전에 이동을 준비한다는 의미가 있다.

그 다음은 다리가 앞으로 이동하면서 엉덩관절 굽힘, 무릎관절 굽힘, 발목관절 발등굽

힘으로 지면에 발이 끌리지 않도록(foot clearance)하는 역할을 달성해야 한다.

마지막으로 흔들기 동안 충분한 걸음 길이를 만들어야 한다. 뒤에서부터 앞으로 약 1.4 m의 거리를 이동한다.

정리하면 다리 전진기 동안 다리의 역할은 3가지가 있다. 이동을 위한 준비(체중 이동, 무릎관절 굽힘), 발끌림 없이 이동(foot clearance), 충분한 걸음길이를 만들어야 한다.

전 흔들기(pre swing), 초기 흔들기(initial swing), 중간 흔들기(mid swing), 후기 흔들기(terminal swing)는 다리 전진기 과제를 수행한다.

보행 동안 이 3가지 기능적 과제는 항상 있어야 한다. 바꿔 말하면, 3가지 기능적 과제 중 하나라도 수행하지 못한다면 보행을 할 수 없다는 말이 된다.

즉, 체중을 지지하고 설 수 있어야 하고, 디딤기 다리로 체중을 이동해야 한다. 한 다리로 설 수 있어야 하고, 그 다음 다리를 앞으로 옮길 수 있어야 '걷는다'라고 말할 수 있다.

임상에서 과제 분류는 매우 중요하며, 치료사는 **3가지 기능적 과제**의 수행을 회복시키기 위한 중재를 고민해야 한다.[6] 이문규, '보행 훈련 넌 어떻게 하니?' (특강, 서울재활병원, 2013)

12. 보행을 설명하는 용어정리 요약

보행주기의 시점, 기간, 과제 용어를 이해한다.

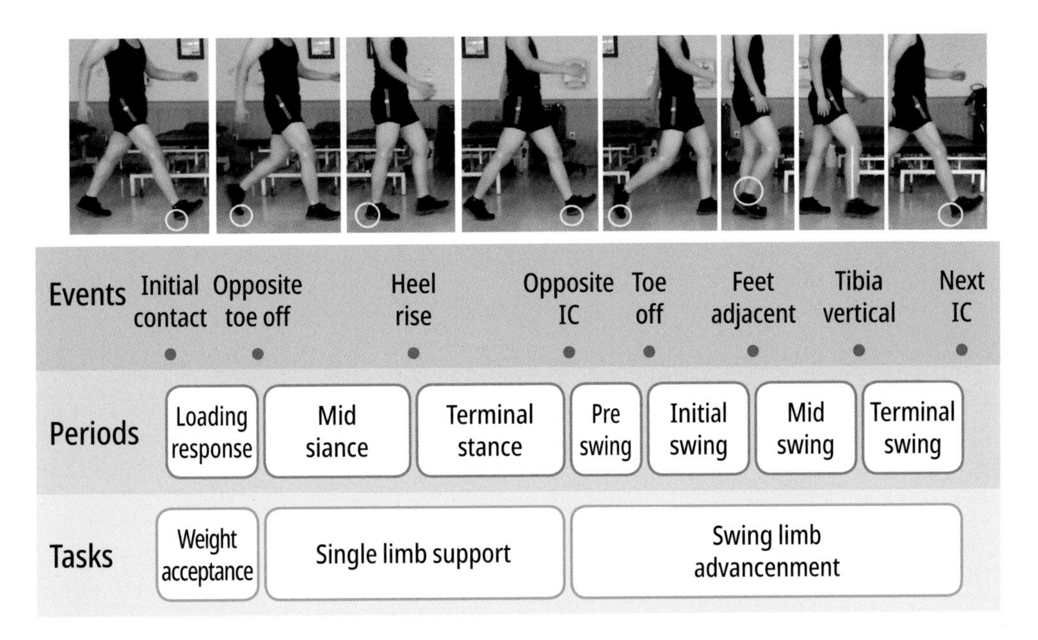

그림 1-14 보행주기(gait cycle)의 시점(events), 기간(periods), 과제(tasks), 단계(phases)[7]

보행이라는 동작을 구분하고 설명하기 위해 과거에서 현재까지 여러 용어를 만들고 사용하게 되었다.

먼저, 동작의 시간 순서에 따라 일어나는 사건을 설명하는 **시점 용어**가 있었다. 그리고 시점과 시점을 연결하는 동작의 기간을 설명하는 **기간 용어**가 있었다. 마지막으로 기간 동안 다리가 수행하는 과제(역할, 기능)를 설명하기 위한 **과제 용어**가 있었다.

시점 용어와 기간 용어는 정상보행 동안 나타나는 사건과 기간을 구조적으로 분류하는 용어이다. 사실 **임상에서** 중요한 것은 보행을 기능적으로 분류하는 **과제 용어**이다. 반복해서 자세히 설명하겠지만, 보행 동안 기능을 설명하는 과제 용어는 치료사에게 매우 중요한 의미를 가지고 있다.

그림 1-14 는 앞에서 설명한 내용들을 포함하고 있다. 보행주기를 설명하는 용어들을 각각 구분하고, 용어의 정확한 의미를 이해하는 것이 보행 공부의 시작이다.

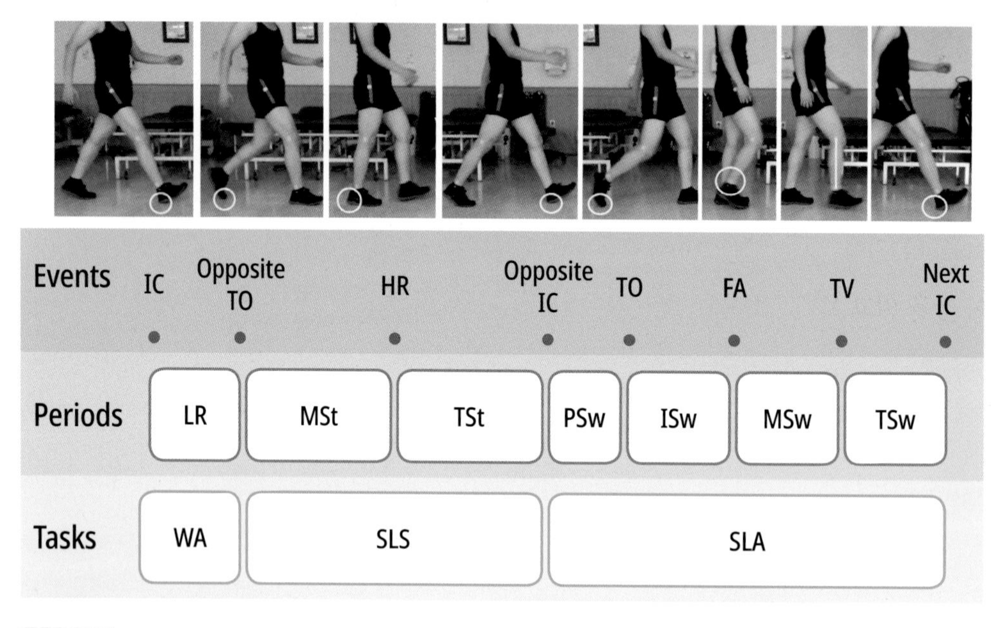

그림 1-15 용어의 약어

보행의 생체역학 설명

보행의 생체역학과 관련된 정보가 많이 제공되고 있다. 치료사는 생체역학 지식을 이용해 임상 실기에 적용해야 한다. 그런데 생체역학 지식을 공부하기가 쉽지 않다. 한마디로 어렵다. 어떻게 하면 어려운 내용을 쉽게 설명할 수 있을까? 매번 고민하게 된다.

이 장은 임상에서 필요한 생체역학 지식을 어떻게 공부하는지, 그리고 어떻게 해석하고 적용하는지에 초점을 맞추었다. 그리고 생체역학의 진입장벽을 낮추기 위해 노력하였다. 이 장을 읽고 보행 관련 자료를 보면 더 쉽게 이해할 수 있을 것이다.

01. 백분율 %

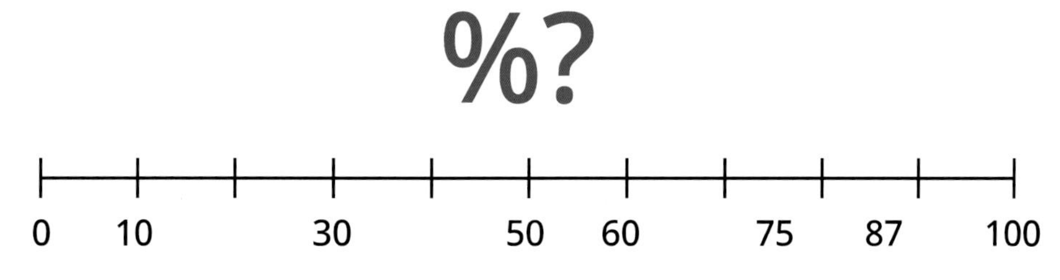

그림 2-1 보행주기의 백분율

보행주기는 사이클로 이루어져 있고 계속해서 반복된다. 그래서 초기 닿기(IC) 기준, 0~100%의 백분율로 표시된다. 보행주기는 백분율로 제시가 되고 자료를 해석하기 위해서는 백분율을 알아야 한다.

앞에서 말한 시점(events)과 기간(periods)을 백분율로 설명할 수 있다. 0, 10, 30, 50, 60, 75, 87 이 숫자가 무엇을 의미하는지 알아보자.

* 사람마다 편차가 존재하고 각 문헌마다 약간의 차이가 있지만 대략적인 수치는 비슷하기 때문에 일단 공식처럼 외우자. 만약 학생이라면 교재의 백분율을 따르길 바란다.

시점은 다음과 같다.

0%는 초기 닿기(IC)이다.

10%는 반대쪽 발가락 떼기(opposite TO)이다.

30%는 뒤꿈치 들기(HR)이다.

* 실제로는 30~40% 사이에서 뒤꿈치 들기가 일어나지만 일단은 30%라고 하자.

50%는 반대쪽 초기 닿기(opposite IC)이다.

60%는 발가락 떼기(TO)이다.

추가로

75%는 양발 인접(FA)

87%는 정강이 수직(TV)

100%는 다음 초기 닿기(next IC)이다.

보행과 관련된 자료가 제시될 때 0~10%라고 하면 부하 반응기(LR)를 설명한다. 10~30%라고 하면 중간 디딤기(MSt)를 설명하는 것이다. 기간은 다음과 같다.

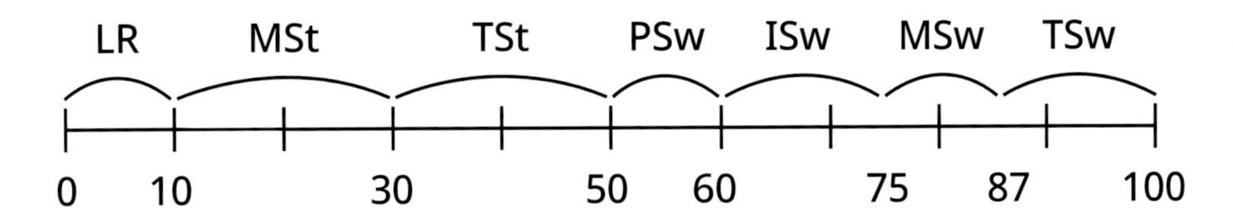

그림 2-2 보행주기 백분율 기간

- **0~10%**: 부하 반응기(LR)
- **10~30%**: 중간 디딤기(MSt)
- **30~50%**: 후기 디딤기(TSt)
- **50~60%**: 전 흔듦기(PSw)
- **60~75%**: 초기 흔듦기(ISw)
- **75~87%**: 중간 흔듦기(MSw)
- **87~100%**: 후기 흔듦기(TSw)

질문!

다음 숫자의 백분율은 보행주기의 언제일까?

① 0%　② 50%　③ 100%

다음 숫자의 백분율은 보행주기의 기간(periods) 중 어디에 속할까?

① 5%　② 20%　③ 55%　④ 90%

앞에서 설명한 시점과 기간을 백분율로 표시할 수 있고, 그 숫자들이 무엇을 의미하는지 알고 있으면 보행주기를 숫자로 표시한 자료를 해석할 수 있게 된다. 백분율로 보는 것이 처음에는 어렵겠지만 나중에는 더 선호하게 된다.

02. 보행의 운동형상학(Kinematics of Gait)

보행 동안 신체는 어떤 모양으로 움직일까? 운동형상학(kinematics)은 움직임 동안 신체 분절의 움직임, 관절의 각도, 움직임의 모양을 설명한다. 시상면에서 다리 관절이 언제 굽혀지는지 또는 펴지는지 알아보자.

* 대상자의 키는 181 cm이며 5.4 km/h의 속력으로 걷는 동안 각 관절의 각도를 측정하였다.

03. 엉덩관절의 운동형상학(kinematics)

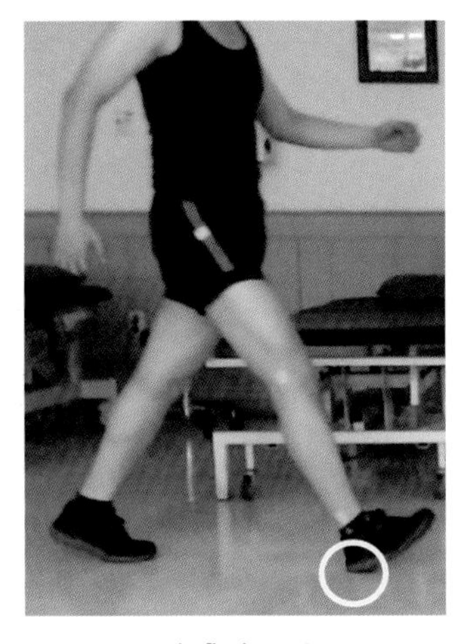
Hip flexion (IC)

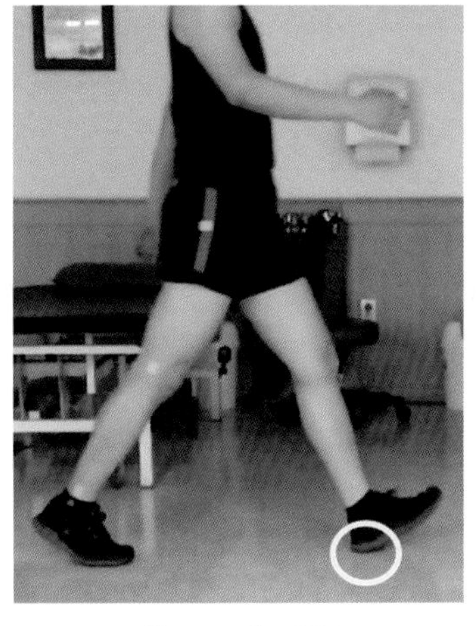
Hip extension (TSt)

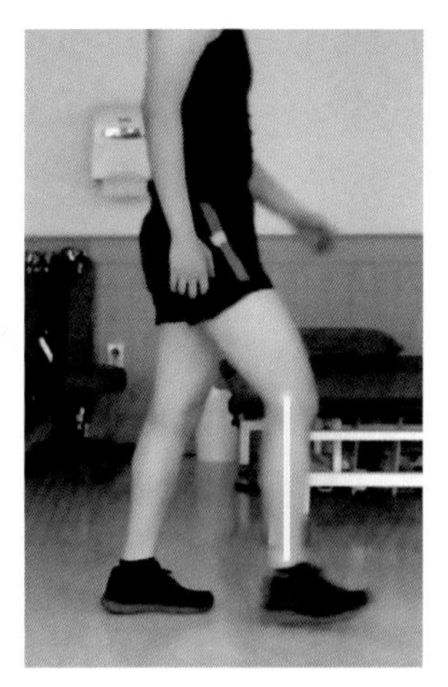
Hip flexion (MSw)

그림 2-3 시상면에서 엉덩관절의 굽힘, 폄

엉덩관절은 굽힘(flexion), 폄(extension), 그리고 다시 굽힘(flexion)된다.

그림 2-4 를 보고, 보행주기 동안의 엉덩관절의 각도를 알아보자.

* 운동형상학 그래프를 보는 방법은, 먼저 백분율을 보고 보행주기의 기간 또는 시점을 확인한다. 그리고 관절의 각도를 확인하면 된다.

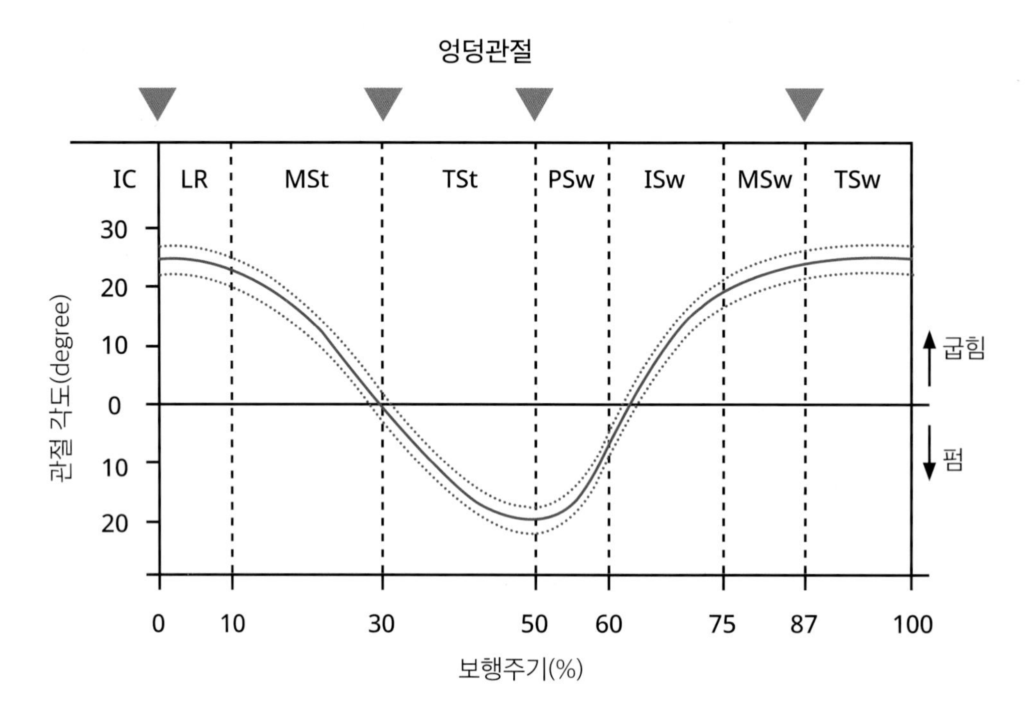

그림 2-4 시상면에서 엉덩관절의 운동형상학(kinematics)

- **0%** IC할 때, 엉덩관절이 최대 25° 굽힘된다.
- **10~30%** MSt 동안, 엉덩관절은 폄된다.
- **30~50%** TSt 동안, 엉덩관절은 최대 20° 폄된다.
- **50~87%** PSw, ISw, MSw을 지나 엉덩관절은 최대 25° 굽힘된다. 이후에는 무릎관절이 폄되면서 다시 IC로 진행하게 된다.

04. 무릎관절의 운동형상학(kinematics)

Knee flexion (LR)

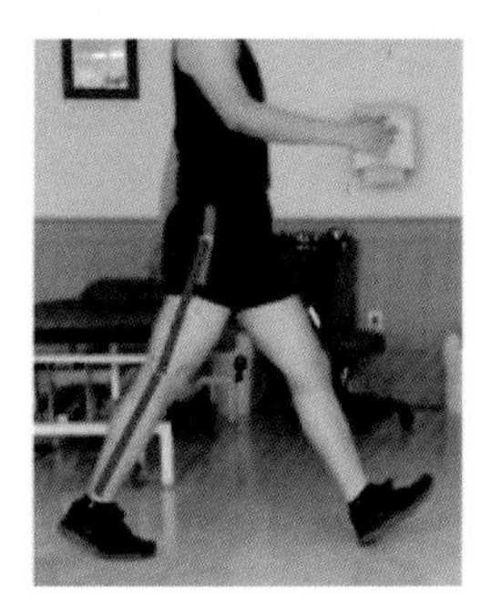
Knee extension (TSt)

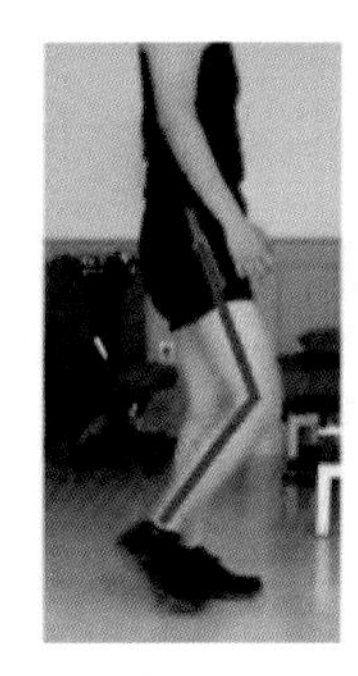
Knee flexion (ISw)

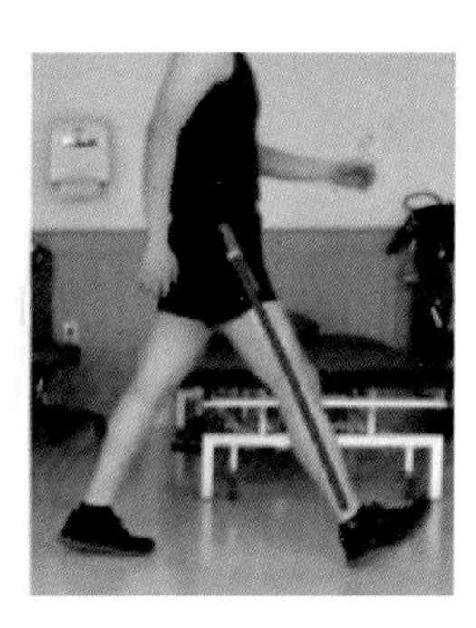
Knee extension (TSw)

그림 2-5 시상면에서 무릎관절의 굽힘, 폄

무릎관절은 약간의 굽힘(slight flexion)과 최대 굽힘(flexion)으로 두 번의 굽힘과 폄이 일어난다.

그림 2-6 을 보고, 보행주기 동안 **무릎관절**의 각도를 알아보자.

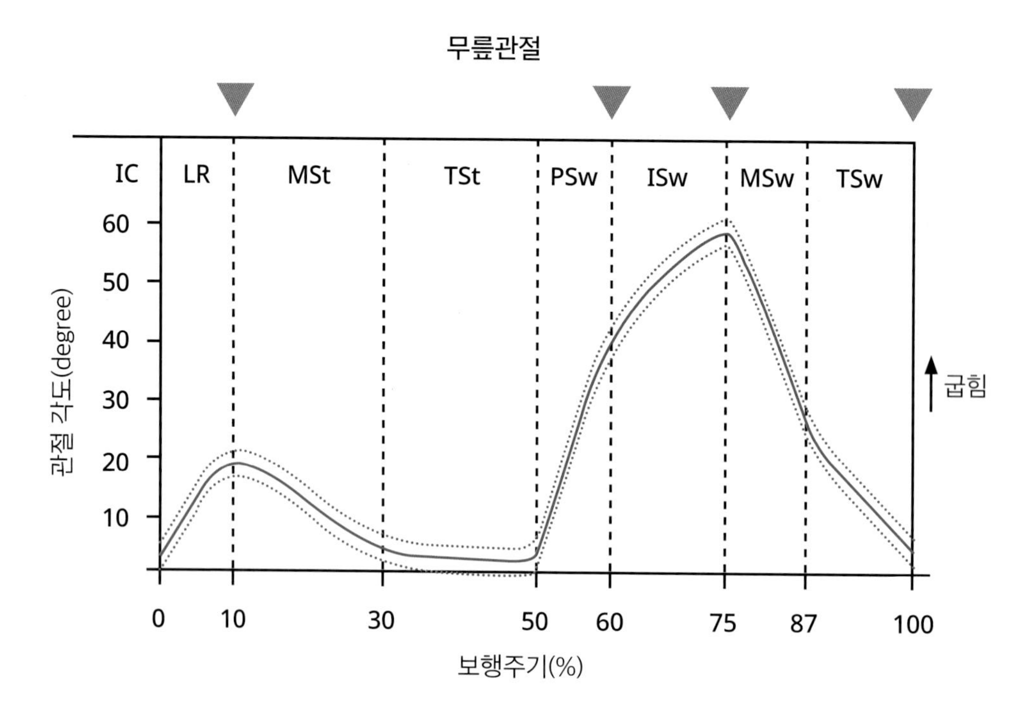

그림 2-6 시상면에서 무릎관절의 운동형상학(kinematics)

- **0~10%** LR 동안, 무릎관절은 약 20° 굽힘된다.
- **10~50%** MSt, TSt 동안, 무릎관절은 폄된다.
- **50~60%** PSw 동안, 무릎관절은 약 40° 굽힘 이후에 75% ISw 까지 최대 60° 굽힘된다.
- **75~100%** MSw, TSw 동안, 무릎관절은 다시 폄된다.

05. 발목관절의 운동형상학(kinematics)

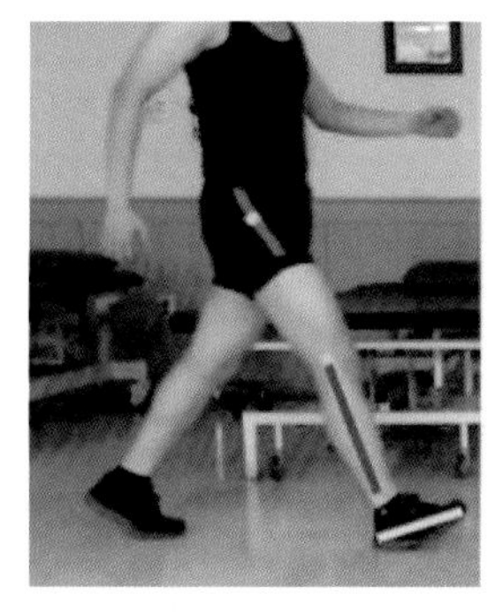
Ankle PF (LR)

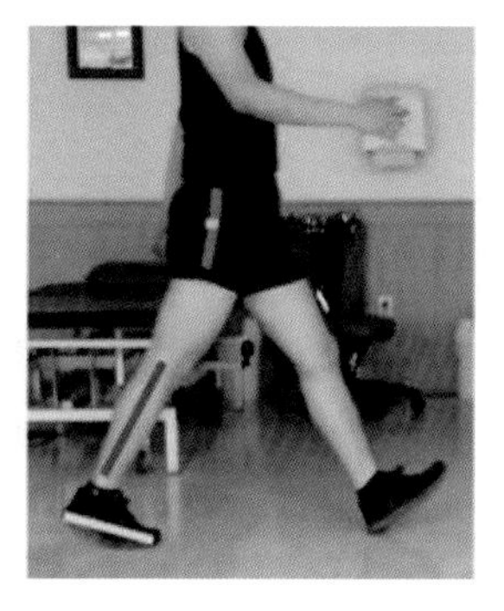
Ankle DF (TSt)

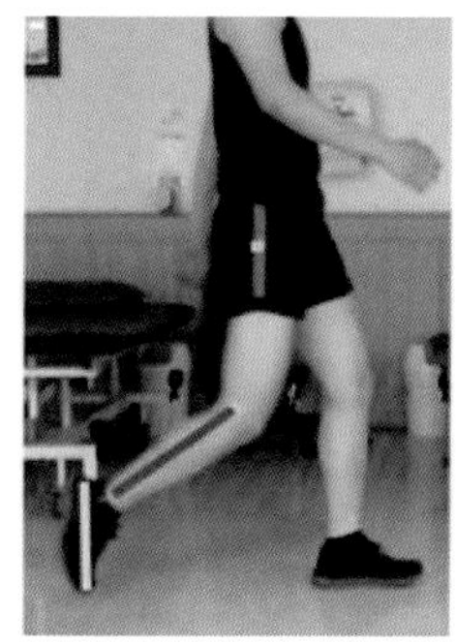
Ankel PF (PSw)

Ankle DF (ISw)

그림 2-7 시상면에서 발목관절의 발바닥쪽굽힘, 발등굽힘

발목관절은 약간의 발바닥쪽굽힘(slight plantar flexion)과 최대 발바닥쪽굽힘(plantar flexion)으로 두 번의 발바닥쪽굽힘(plantar flexion)과 발등굽힘(dorsi-flexion)이 일어난다.

그림 2-8 을 보고, 보행주기 동안 발목관절의 각도를 알아보자.

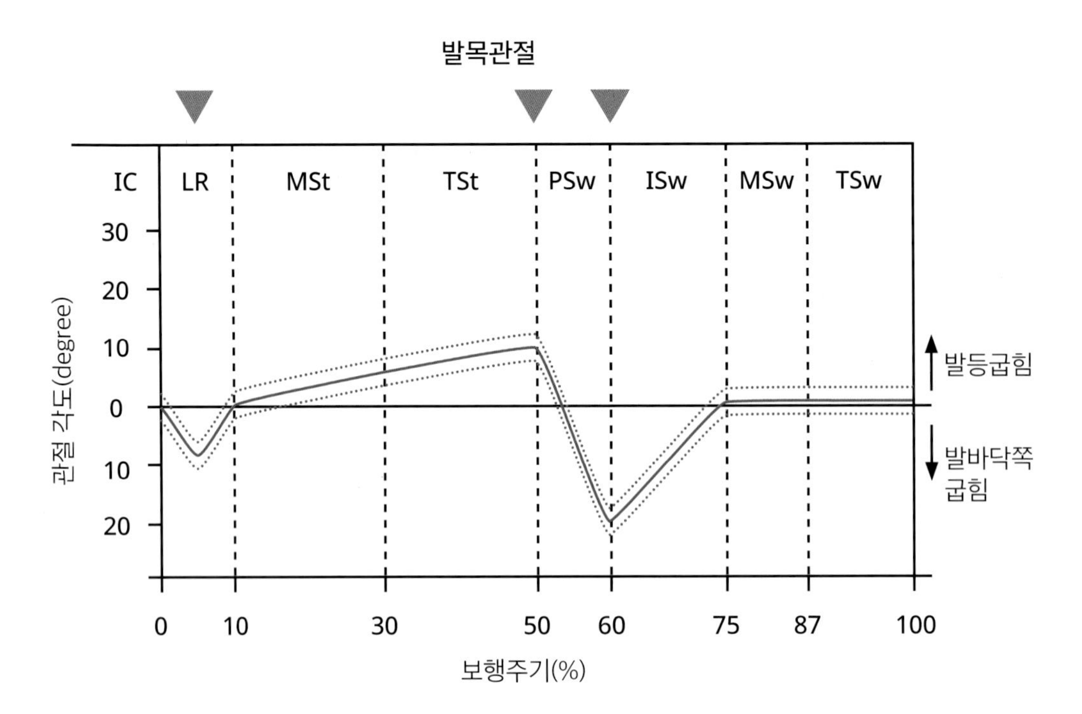

그림 2-8 시상면에서 발목관절의 운동형상학(kinematics)

- **0~10%** LR 동안, 발목관절은 약 10° 의 발바닥쪽굽힘 이후 다시 발등굽힘된다.
- **10~50%** MSt, TSt 동안, 발목관절은 최대 10° 발등굽힘된다.
- **50~60%** PSw 동안, 발목관절은 최대 20° 발바닥쪽굽힘이 일어나고 이후에 75% ISw 까지 중립 0° 발등굽힘된다.

06. 운동형상학 요약

운동형상학(kinematics)은 움직임의 모양을 말한다. 정확하게 말하면 각 관절의 각도를 설명하는 것이다. 많은 연구자들이 전자 각도계를 이용해, 보행 동안 각 관절의 각도를 측정하여 운동형상학 그래프 자료로 제시하고 있다. 이런 자료들을 해석하기 위해서는 보행주기의 시점과 기간의 백분율을 알아야 한다. 그러면 각 시점과 기간에서 관절의 각도를 알 수 있게 된다. 보행주기 동안 각 관절에서 최대 굽힘과 폄의 각도가 보행주기 중 언제 나타나는 것인지 찾아보자.

엉덩관절은 초기 닿기(IC)에서 최대 굽힘되고, 30% 지점에서 중립 위치 이후 50% 지점 반대쪽 초기 닿기(opposite IC)에서 최대 폄이 된다. 그리고 약 85% 지점 정강이 수직TV 이후 최대 굽힘이 된다.

무릎관절은 부하 반응기(LR)가 끝나는 10% 지점에서 약 20° 굽힘되고, 이후 무릎관절은 다시 폄된다.

50~60% 전 흔듦기(PSw) 동안 약 40°의 굽힘이 일어나며, 이후 75% 지점 양발 인접(FA)까지 더 굽힘이 되어 최대 60°의 굽힘이 일어난다. 이후 다음 초기 닿기(IC)까지 무릎관절은 폄된다.

발목관절은 부하 반응기(LR) 동안 약 10°의 발바닥쪽굽힘이 발생하고, 다시 발등굽힘이 일어난다. 0~10% 기간 동안 발바닥쪽 굽힘과 발등굽힘이 모두 일어난다. 발목관절은 이후 발등굽힘되어 50% 지점 반대쪽 초기 닿기(opposite IC)까지 최대 10° 발등굽힘이 된다.

50~60% 부하 반응기(PSw) 동안 빠르게 발바닥쪽굽힘이 일어나고, 최대 발바닥쪽굽힘(ankle plantar flexion) 20°가 일어난다. 50~60% 기간 동안 최대 30°의 각도 변화가 나타난다. 이후 발목관절은 다시 중립 위치까지 발등굽힘된다.

보행의 시상면 운동형상학에서 몇몇 중요한 시점과 기간이 있다. 특히 **50~60% 전 흔듦기(PSw) 기간에서 각 관절의 각도 변화가 크며 매우 중요한 임상적 의미가 있다. 10%, 30%, 50%, 60%를 기점으로 각 관절이 어떻게 변하는지 반복해서 읽어보기 바란다.**

07. 보행의 운동역학(Kinetics of Gait)

운동형상학(kinematics)은 움직임의 모양을 설명한다면, 운동역학은 움직임을 만드는 힘을 설명한다. 다음은 보행 동안 작용하는 힘에 대해 알아보자. 보행에 주로 관여하는 힘은 크게 근력, 중력, 지면반발력 등이 있다. 이 중 근력의 관점에서 보행 동안 다리 관절을 굽히고 펴는 힘에 대해서 알아보도록 한다.

08. 근육의 활성(Muscle activations)

근전도(EMG)를 이용하여 보행 동안 다리의 각 근육이 언제 활성되는지 측정할 수 있다. 보행주기에서 다리 근육의 수축과 이완 타이밍을 알아보자.

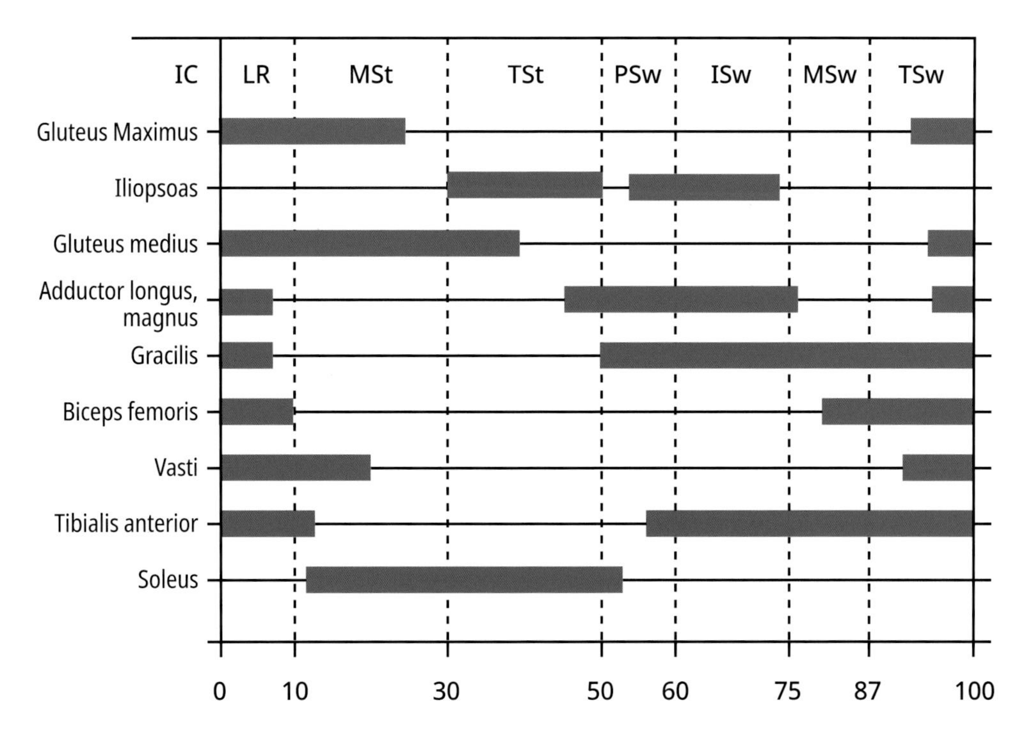

그림 2-9 보행 동안 다리 근육의 활성[8)]

1) 엉덩관절 폄근

큰볼기근(gluteus maximus)은 약 90~100% IC 직전 활성이 시작되고, 0~30% 초기 닿기(IC), 부하 반응기(LR), 중간 디딤기(MSt) 동안 활성된다.

2) 엉덩관절 굽힘근

엉덩관절 굽힘근의 근전도 자료는 심부에 위치한 근육 속 전극을 사용하기 때문에 정확한 측정의 어려움이 있어 문헌마다 차이가 있다. 엉덩허리근(iliopsoas)은 약 50% 지점 이후 전 흔듦기(PSw), 초기 흔듦기(ISw) 동안 활성이 나타나는 것으로 보인다. 그리고 30%

지점부터 50%까지 원심성 활성을 한다고 설명하는 문헌도 있다.[9)]

3) 엉덩관절 벌림근

중간볼기근(gluteus medius)은 약 90~100% IC 직전에 활성이 시작된다. 이후 0~40% 초기 닿기(IC), 부하 반응기(LR), 중간 디딤기(MSt), 후기 디딤기(TSt) 동안 활성된다.

4) 엉덩관절 모음근

큰모음근(adductor magnus), 긴모음근(adductor longus)은 두 번의 활성이 나타난다. 0% 초기 닿기(IC)에서 일어나고 50% 직후 전 흔듦기(PSw)에서 활성된다.

5) 무릎관절 폄근

넙다리네갈래근(quadriceps femoris)은 약 90%~100% IC 직전에 활성이 시작되고, 0~30% 초기 닿기(IC), 부하 반응기(LR), 중간 디딤기(MSt) 동안 활성된다.

6) 무릎관절 굽힘근

뒤넙다리근(hamstrings)은 0~10% 초기 닿기(IC), 부하 반응기(LR) 동안 그리고 80~100% 후기 흔듦기(TSw) 동안 활성된다.

7) 발목관절 발등굽힘근

앞정강근(tibialis anterior)은 0~10% 초기 닿기(IC), 부하 반응기(LR) 동안 활성된다. 60% 지점 발가락 떼기(toe off) 직전부터 100% 지점까지 활성이 나타난다.

8) 발목관절 발바닥쪽굽힘근

가자미근(soleus)은 10~ 60% 중간 디딤기(MSt), 후기 디딤기(TSt), 전 흔듦기(PSw) 동안 활성된다.

09. 생체역학적 해석

근육은 구심성 활성(concentric activation), 원심성 활성(eccentric activation), 그리고 등척성 활성(isometric activation)으로 동작을 수행한다. 구심성 활성은 움직임을 가속시키고, 에너지를 발생시킨다. 원심성 활성은 움직임을 감속시키고, 에너지를 흡수한다. 등척성 활성은 동작을 안정화한다. 중력, 지면 반발력 등 외부의 힘에 대응하여 근육의 활성을 이용해 걷는 동안 다리의 동작이 만들어진다. 이때 근육의 활성이 동작에 어떻게 관여하는 것인지 이해가 필요하다. 각 관절의 움직임 동안 근육 활성의 역할을 이해하는 것을 생체역학적 해석이라고 한다.

1) 엉덩관절의 생체역학적 해석

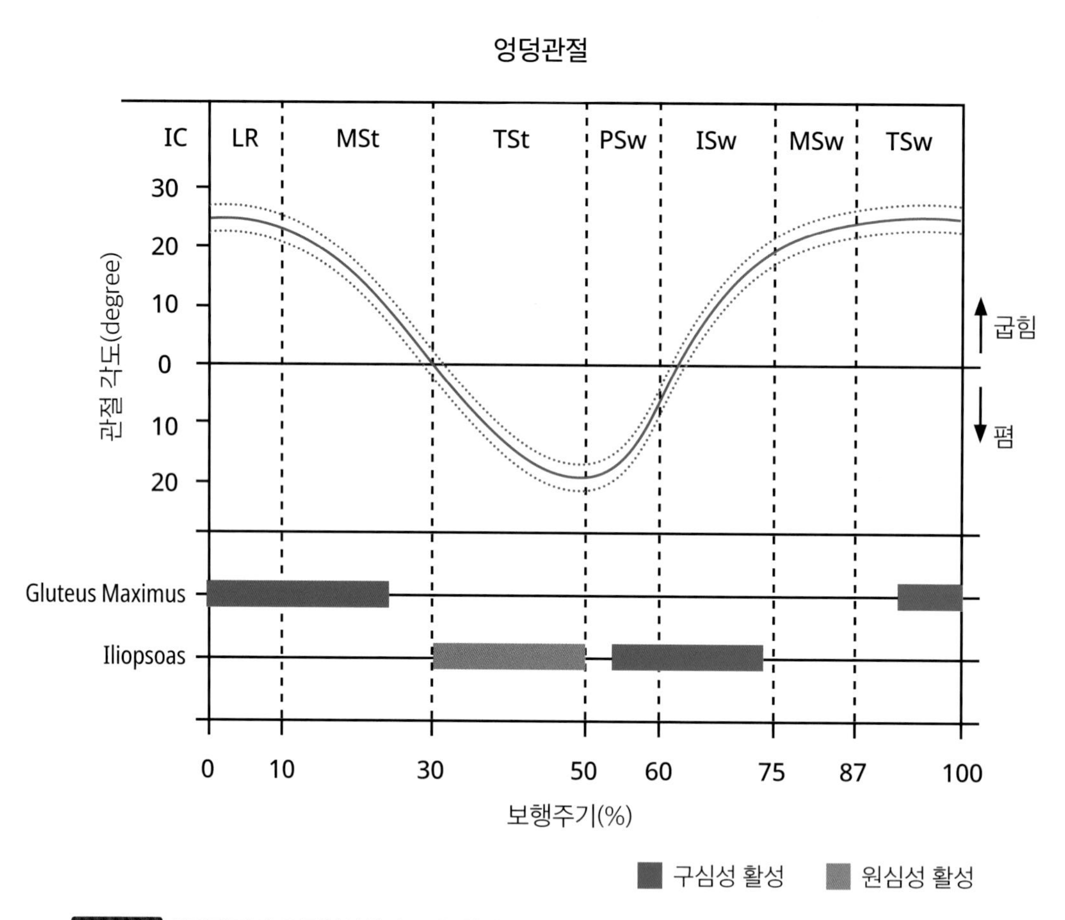

그림 2-10 엉덩관절의 운동형상학과 근육 활성

엉덩관절 폄근은 약 90~100% 초기 닿기(IC) 직전에 근육의 활성이 시작된다. 이것은 초기 닿기(IC)에서 발생하는 지면반발력(충격)을 흡수하기 위해 사전에 활성이 된다.

0~30% 초기 닿기(IC), 부하 반응기(LR), 중간 디딤기(MSt) 동안 엉덩관절은 폄(hip extension)된다. 이 기간 동안 엉덩관절 폄근은 구심성 활성을 한다. 즉, 엉덩관절 폄근은 체중을 지지하고 신체를 앞으로, 그리고 위로(중력의 반대 방향으로) 올리는 역할을 수행한다.

30~50% 후기 디딤기(TSt) 동안 엉덩관절은 폄(hip extension)된다. 이 기간 동안 엉덩관절 굽힘근은 원심성 활성을 한다. 즉, 엉덩관절 굽힘근은 체중을 지지하고 신체가 앞으로, 그리고 아래로(중력의 방향으로) 내려오는 것을 버티고 조절하는 역할을 수행한다.

50~75% 전 흔듦기(PSw), 초기 흔듦기(ISw) 동안 엉덩관절은 굽힘(hip flexion)된다. 이 기간 동안 엉덩관절 굽힘근은 구심성 활성을 한다. 즉, 엉덩관절 굽힘근은 흔듦기(swing) 동안 뒤에서 앞으로 다리를 옮기는 역할을 수행한다.

엉덩관절 벌림근은 약 90~100% 초기 닿기(IC) 직전에 활성이 시작되고 이후 0~40% 초기 닿기(IC), 부하 반응기(LR), 중간 디딤기(MSt), 후기 디딤기(TSt) 동안 활성된다.

엉덩관절 벌림근의 역할은 이마면에서 골반을 안정화하는 것이다. 부하 반응기(LR) 동안 반대쪽 골반이 내려가는 정도를 원심성 활성으로 조절하고, 중간 디딤기(MSt), 후기 디딤기(TSt) 동안 한 다리로 서기 위한 체중지지 역할, 그리고 체간의 좌우측 움직임 조절에 관여한다.

엉덩관절 모음근은 엉덩관절이 가장 굽힘되어 있을 때, 0% 초기 닿기(IC) 동안, 그리고 엉덩관절이 가장 폄되어 있는 50% 반대쪽 초기 닿기(opposite IC)에서 활성이 일어난다.

엉덩관절 모음근의 역할은 엉덩관절이 가장 굽힘되었을 때는 폄을 보조하고, 가장 폄되어 있을 때는 굽힘을 보조하는 것이다.

2) 무릎관절 동작의 생체역학적 해석

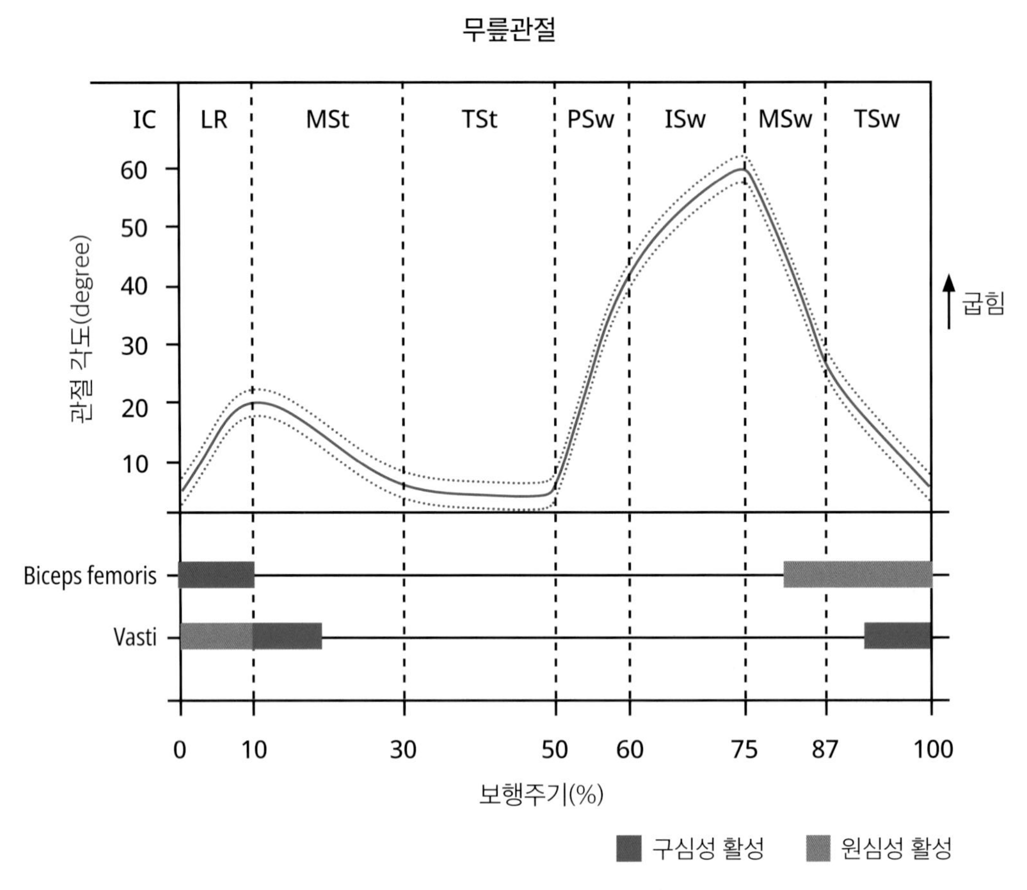

그림 2-11 무릎관절의 운동형상학과 근육 활성

무릎 폄근은 초기 닿기(IC) 직전 활성이 시작된다. 이후 무릎 관절은 약간 굽힘(slight knee flexion)되고, 무릎 폄근은 원심성 활성이 나타난다. 초기 닿기(IC) 직후 발생하는 지면반발력에 의한 충격을 흡수하고, 무릎관절이 과도하게 펴지는 것을 막기 위해 부하반응기(LR) 동안 무릎관절은 구부려진다. 중간 디딤기(MSt) 동안 무릎폄근은 구심성 활성하여 반대쪽 다리가 앞으로 지나가는 동안 무릎관절의 폄을 유지하는 역할을 수행한다.

뒤넙다리근(hamstrings)은 두관절 근육으로 초기 닿기(IC), 부하 반응기(LR) 동안, 그리고 80~100% 후기 흔듦기(TSw) 동안 활성된다. 뒤넙다리근의 역할은 처음 초기 닿기(IC), 부하 반응기(LR) 동안의 활성으로, 엉덩관절의 안정성에 관여한다. 그리고 무릎관절 폄근의 활성 동안 동시수축으로 무릎관절의 안정성에 관여한다.

50~75% 전 흔듦기(PSw), 초기 흔듦기(ISw) 동안 무릎관절에서 약 60°의 굽힘이 발생하지만 무릎관절 굽힘근의 활성이 나타나지 않는다.

후기 흔듦기에는 빠르게 무릎관절이 펴진다. 이때, 다시 초기 닿기(IC)로 진행하고자 후기 흔듦기(TSw) 동안 무릎관절에서 각속도를 조절하기 위하여 원심성 활성으로 감속하는 역할을 수행한다.

3) 발목관절 동작의 생체역학적 해석

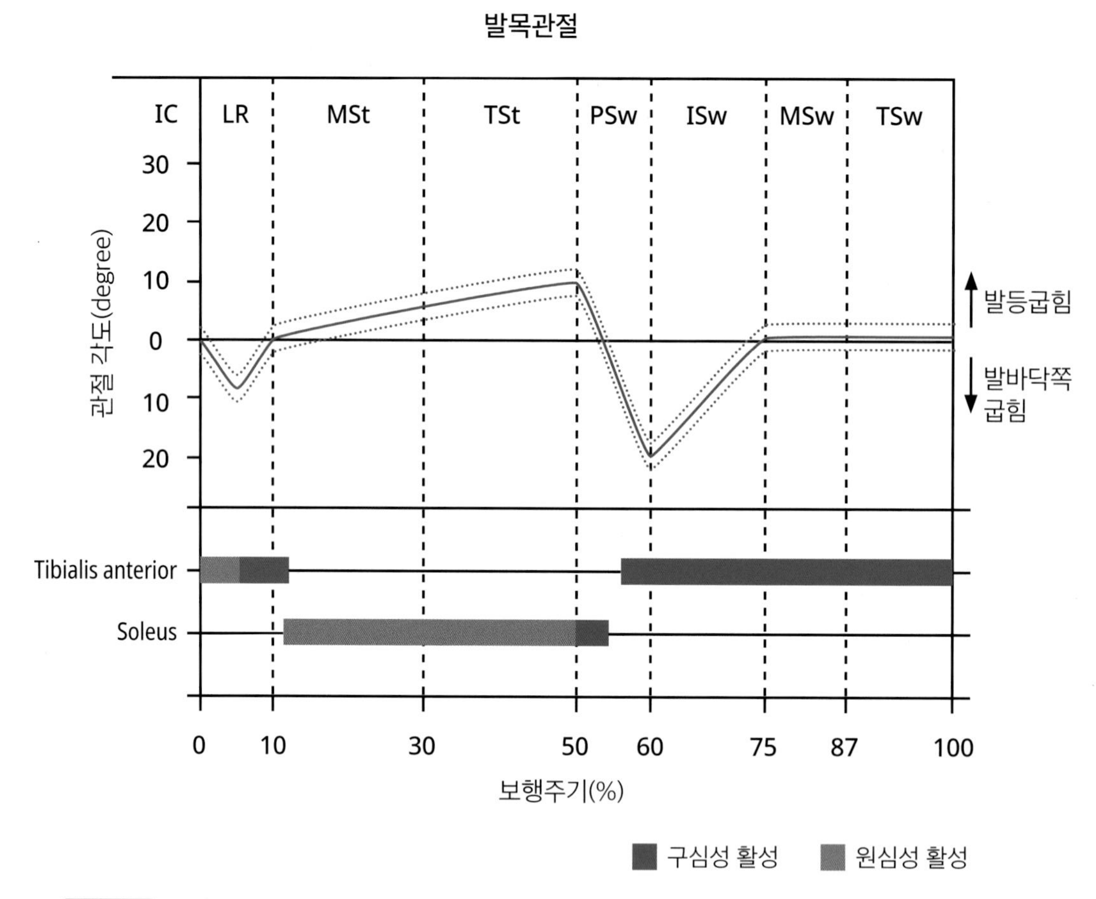

그림 2-12 발목관절의 운동형상학과 근육 활성

보행 동안 발목관절 근육의 역할을 이해하는 것은 특히 중요하다.

발목관절 발등굽힘근은 디딤기 초반에 활성한다. 첫 번째 역할은 초기 닿기(IC)와 부하 반응기(LR) 동안 발생하는 지면반발력의 충격을 흡수하기 위해 원심성 활성이 나타난다. 이 원심성 활성은 아주 짧은 시간동안 나타난다. 지면반발력의 충격을 발등굽힘근의 활성과 힘줄의 탄성 에너지를 이용하여 상쇄시키는 역할을 수행한다. 0~10% 기간 동안 발바닥쪽굽힘과 이후 발등굽힘이 모두 일어난다는 것을 기억해야 한다.

두 번째 역할은 정강뼈(tibia)를 앞으로 이동시켜 부하 반응기(LR) 동안 무릎관절을 굽힘시키는 역할을 수행한다. 이는 무릎관절에서 충격을 흡수할 수 있도록 발목관절의 안정화 역할을 수행한다.

발목관절 발바닥쪽굽힘근은 중간 이후 디딤기 동안 활성한다. 중간 디딤기(MSt) 동안 발목관절의 안정화 역할을 수행하고, 이후 후기 디딤기(TSt) 동안 50% 지점까지 발바닥쪽굽힘근은 원심성 활성이 나타난다. 이것은 체중심(COM)이 앞으로, 그리고 아래로 이동하는 것을 버텨주는 역할을 한다.

50% 지점 반대쪽 초기 닿기(opposite IC)가 일어나면서 체중은 반대쪽 다리로 이동되고, 발목관절에서는 발바닥쪽굽힘근의 구심성 활성으로 빠르게 발바닥쪽굽힘이 일어난다. 50%까지 원심성으로 탄성에너지를 저장하고 마치 투석기 동작(catapult action)처럼 발목관절에서 발바닥쪽굽힘 동작이 발생한다.[10] 전 흔듦기(PSw) 동안 발목관절의 발바닥쪽굽힘은 무릎관절의 굽힘을 만드는 능동 요소로 작용한다.

이후 흔듦기(swing phase) 동안 다시 발목관절 발등굽힘근이 작용하고 발목관절을 발등굽힘으로 만들게 된다.

10. 디딤기와 흔듦기의 생체역학적 해석

디딤기 동안에는 충격을 흡수하고, 체중을 지지하고 서기 위한 폄 근육들의 활성이 있다. 디딤기 초기에 체중을 지지하고 충격을 흡수하기 위해 엉덩관절 폄근, 무릎관절 폄근, 발목관절 발등굽힘근이 활성한다. 디딤기의 중간 지점을 지나면서 한 다리로 서기 위한 엉덩관절 벌림근의 활성이 강하게 나타난다. 그리고 엉덩관절 폄근에서 엉덩관절 굽힘근으로 근육의 활성이 바뀌고, 반대쪽 발이 앞으로 지나갈 수 있게 딛고 있는 다리는 폄을 유지한다. 디딤기의 후반으로 가면 엉덩관절 굽힘근과 발목관절 발바닥쪽굽힘근의 체중을 버티는 역할을 위해 원심성으로 활성한다. 근육활성의 큰 변화가 50% 지점 반대쪽 초기 닿기(opposite IC)에서 일어난다. 체중은 반대쪽 다리로 이동되면서, 전 흔듦기(PSw) 동안 딛고 있는 다리에서는 엉덩관절 굽힘, 무릎관절의 굽힘, 발목관절의 발바닥쪽굽힘이 일어난다. 이때 폄되어 있던 엉덩관절은 중립 위치로 떨어지게 되고, 발등굽힘되어 있던 발목관절은 발바닥쪽굽힘근의 능동적 요소가 더해져 무릎관절에서 약 40°의 굽힘을 만들게 된다.

흔듦기 동안 다리를 앞으로 옮기기 위해 굽힘 근육들의 활성이 나타난다. 흔듦기 초반에는 엉덩관절 굽힘근의 근육활성이 나타나고, 발끌림을 방지하기 위해 발목관절 발등굽힘근이 활성하며, 흔듦기의 후반에는 무릎관절 폄의 감속을 위해 무릎관절 굽힘근의 원심성 활성이 나타난다.

11. 보행의 생체역학 설명 요약

보행의 생체역학을 설명하는 더 자세하고, 좋은 정보가 많이 있다. 여기에서는 보행주기 동안 시상면에서 운동형상학, 다리 근육들의 활성 타이밍 정보, 근육 활성의 유형(type)을 가지고 움직임에 기여하는 역할을 이해하는 방법을 간단하게 알아보았다. 여기에 추가로 이마면 움직임, 수평면 움직임, 중력의 영향, 지면반발력(GRF)의 영향, 벡터(vector), 일율(power), 토크(torque, moment) 등의 내용을 추가로 공부해야 한다. 벌써 머리가 아파온다.

제03장 다리의 역할은?

앞 장들의 내용을 통해 보행주기를 설명하는 용어들인 시점 용어, 기간 용어, 과제 용어의 각각 의미를 이해하고, 구분할 수 있게 되었다. 또, 보행 동안 운동형상학(kinematics), 즉 보행주기 동안 다리 각 관절의 모양(각도)에 대해서도 알아보았다. 그리고 보행 동안 운동형상학을 만드는 힘들에 대한 설명이 운동역학(kinetics)이며, 중력, 지면반발력, 근력 같은 힘의 합력에 의해 움직임이 발생하고, 이 중 근육의 활성 타이밍과 활성 유형이 무엇인지 알아보았다.

이렇게 배운 지식들을 가지고, 이 장에서는 보행주기 동안 다리의 역할이 무엇인지, 어떤 기능들을 수행하는지 통합하여 알아보도록 한다.

	WA	SLS		SLA			
IC	LR	MSt	TSt	PSw	ISw	MSw	TSw

0 10 30 50 60 75 87 100

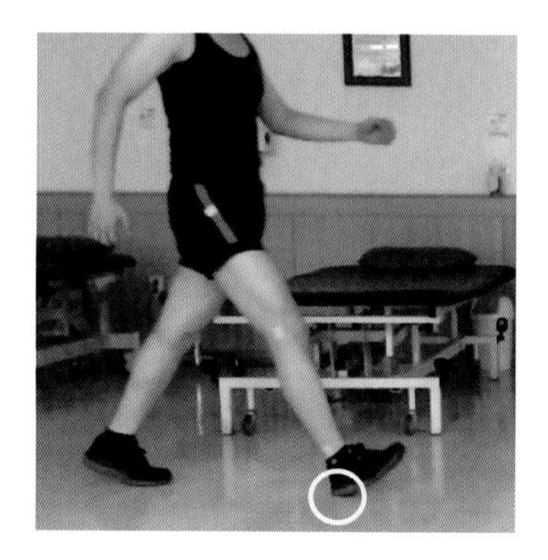

- 보행주기의 시작
- 보행주기의 0%
- 초기 닿기, 뒤꿈치 닿기
- 뒤꿈치 구름(heel rocker)
- 뒤꿈치 치기(heel strike) → 뒤꿈치 닿기(heel contact)
- 초기 닿기의 안정성

그림 3-1 체중 수용기(weight acceptance) - 초기 닿기(initial contact)

01. 체중 수용기(weight acceptance) - 초기 닿기(initial contact)

보행주기가 시작되는 시점(0%)이다. 또는 0~2%의 기간으로 보기도 한다.

* %는 문헌마다 약간의 차이가 있을 수 있다.

뒤꿈치가 닿기 때문에 뒤꿈치 닿기(heel contact)라고 부르기도 한다. 뒤꿈치 구름(heel rocker)은 뒤꿈치가 닿으면서 뒤꿈치에서 구름(rocker)이 발생하는 것을 의미한다. rocker는 흔들의자의 바닥과 접촉하는 둥그런 부분을 말하는데, 발 뒤꿈치가 지면과 접촉하여 rocker와 같은 역할을 하게 되고, 이는 앞으로의 이동을 돕는다.

뒤꿈치 치기(heel strike)라는 용어는 예전에 뒤꿈치가 바닥에 부딪친다고 설명하였지만, 지금은 뒤꿈치가 닿을 때 잘 조절된 닿기로 설명하기 때문에 뒤꿈치 닿기(heel contact)를 사용한다.

운동형상학은 엉덩관절 굽힘 25°, 무릎관절 폄, 발목관절의 중립 위치이다.

다리의 역할은 초기 닿기를 위해서 발목관절의 안정성을 확보해야 하는 것이다. 주로 발목관절이 안쪽 들림(inversion)되는 것을 주의해야 한다.

	WA	SLS		SLA			
IC	LR	MSt	TSt	PSw	ISw	MSw	TSw

0 10 30 50 60 75 87 100

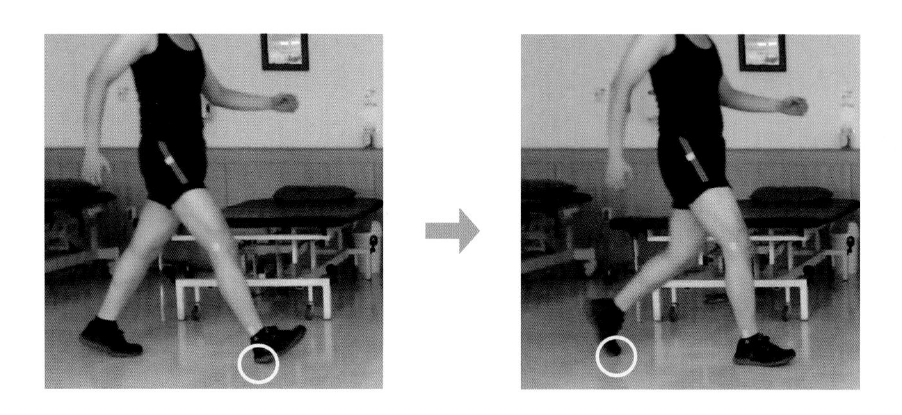

- 보행주기의 0~10%
- 두 다리 지지기(double limb support)
- Knee slight flexion
- Tibia progression
- Hip extensor, Knee extensor, Ankle dorsiflexor
- 충격 흡수, 체중 수용 - WA

그림 3-2 체중 수용기(weight acceptance) - 부하 반응기(loading response)

02. 체중 수용기(weight acceptance) - 부하 반응기(loading response)

보행주기의 0~10% 기간이다. 또는 0~12%의 기간으로 보기도 한다. 초기 닿기(IC)에서 반대쪽 발가락 떼기(opposite toe off)까지이다. 또한 양발이 지면에 닿고 있는 두 다리 지지기(double limb support) 기간이다.

운동형상학은 무릎관절에서 약간의 굽힘 20°가 발생하고, 발목관절은 약 10°의 발바닥쪽굽힘 이후 정강이가 앞으로 이동하면서(tibia progression) 다시 발등굽힘된다.

근육활성은 엉덩관절 폄근 구심성 활성, 무릎관절 폄근에서 원심성 활성, 발목관절에서는 IC 이후 발생한 충격을 흡수하는 발등굽힘근의 원심성 활성이 나타난다. 이후 구심성 활성이 나타난다.

다리의 역할은 체중을 수용한다. 정강뼈(tibia)를 앞으로 이동시켜 무릎을 구부리고, 충격을 흡수하는 역할을 수행한다.

임상에서 부하 반응기(LR) 동안 발목관절 발등굽힘근의 원심성 활성을 등척성 활성으로 설명하는 문헌이 있다. 초기 닿기(IC) 이후 짧은 시간 동안 발바닥쪽굽힘이 일어나는데, 이때 발등굽힘근은 등척성으로 활성하고, 힘줄에서의 길이가 늘어나는 변화로 발바닥쪽굽힘을 설명한다. 충격을 힘줄의 탄성에너지로 흡수한다는 것이다.[11] 발등굽힘근의 활성으로 힘줄복합체와 함께 충격을 흡수하고, 정강이(tibia)를 앞으로 이동시키는 역할을 수행하는데, 발등굽힘근의 등척성 활성과 정강이의 이동을 훈련하도록 하는 것이 역학적으로 타당하다

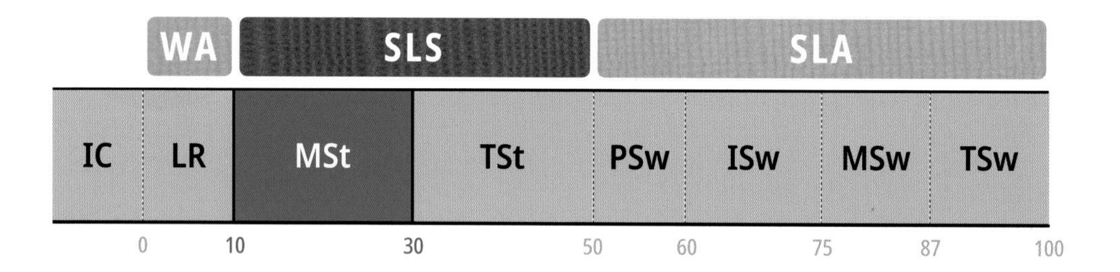

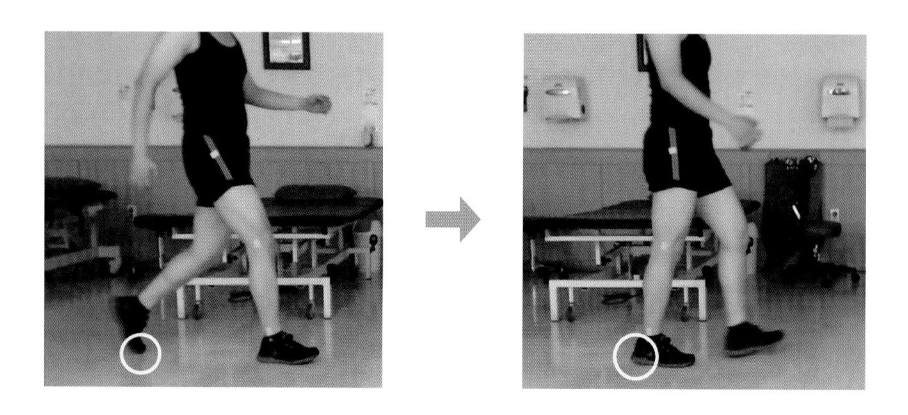

- 보행주기의 10~30%
- 한 다리 지지기(single limb support) 1/2
- Hip extension, Knee extension
- Ankle dorsiflexion (ankle rocker)
- Hip extensor, Hip abductor, Knee extensor
- 다리와 체간을 안정시켜 발을 지나 앞으로 진행

그림 3-3 한 다리 지지기(single limb support) - 중간 디딤기(mid stance)

03. 한 다리 지지기(single limb support) - 중간 디딤기(mid stance)

보행주기의 10~30% 기간이다. 또는 12~31%의 기간으로 보기도 한다. 반대쪽 발가락 떼기(opposite toe off)에서 뒤꿈치 들기(heel rise)까지이다. 또한 한 다리가 지면에 닿고 있는 한 다리 지지기 중 전반부 기간이다.

운동형상학은 엉덩관절은 중립 위치로, 무릎관절은 폄된다. 발목관절은 발등굽힘으로 진행한다.

근육활성은 엉덩관절 폄근, 무릎관절 폄근이 구심성 활성한다. 발목관절에서는 발등굽힘근의 활성에서 발바닥굽힘근의 원심성 활성으로 넘어간다. 한 다리 지지기 동안 엉덩관절 벌림근의 강한 활성이 나타난다.

다리의 역할은 한 다리로 서기, 엉덩관절의 안정성, 반대쪽 발이 앞으로 진행하는 동안 신체의 최대 높이(COM의 최대 높이 도달)를 수행한다.

임상에서 중간 디딤기는 한 다리로 신체를 지지하는 안정성(stability)과 관련된 역할을 수행한다. 환자는 마비로 인해 한 다리로 신체를 지지할 힘을 발생시키기 어렵다면 관절 연부조직의 수동 장력에 의존하여 안정성을 확보하거나 지지에 필요한 보조도구의 도움이 필요할 수 있다. 주로 중간 디딤기 동안 무릎관절의 과도한 폄이 많이 발생하는데, 한 다리 지지기 동안 다리 폄의 조절이 어렵다면 쉽게 안정성을 확보할 수 있는 방법이 무릎관절을 폄시키는 것이기 때문이다

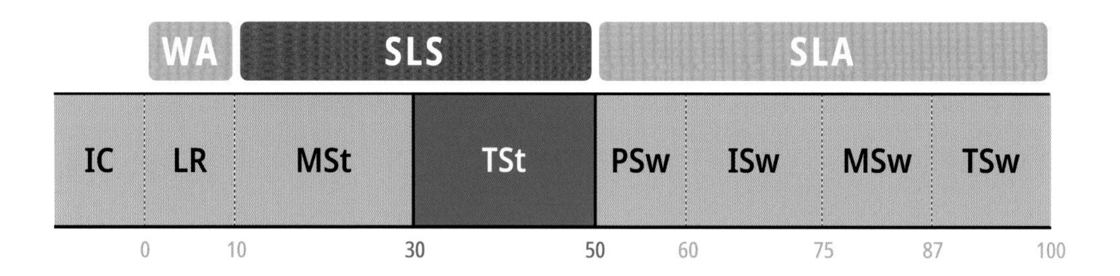

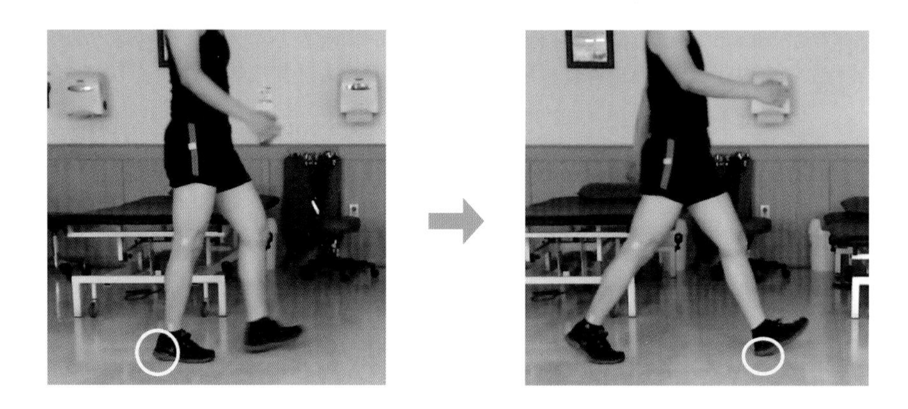

- 보행주기의 30~50%
- 한 다리 지지기(single limb support) 2/2
- Hip extension, Ankle dorsiflexion (forefoot rocker)
- Hip flexor & Ankle plantarflexor (eccentric activation)
- Push-off
- 체중이 발의 전반부로 이동하며 체간이 앞으로 이동

그림 3-4 한 다리 지지기(single limb support) - 후기 디딤기(terminal stance)

04. 한 다리 지지기(single limb support) - 후기 디딤기(terminal stance)

보행주기의 30~50% 기간이다. 또는 31~50%의 기간으로 보기도 한다. 뒤꿈치 들기(heel rise)에서 반대쪽 초기 닿기(opposite IC)까지이다. 또한 한 다리 지지기(single limb support) 중 후반부 기간이다.

운동형상학은 엉덩관절은 폄 20°, 발목관절은 최대 발등굽힘 10°된다.

근육활성은 엉덩관절 굽힘근의 원심성 활성, 발목관절에서는 발바닥쪽굽힘근의 원심성 활성이 나타난다.

다리의 역할은 한 다리로 서기, 반대쪽 다리의 보폭을 위해 엉덩관절에서 추가적인 폄을 수행한다.

임상에서 환자들의 경우, 후기 디딤기(TSt)가 잘 나타나지 않는다고 하였다. 후기 디딤기는 보행주기에서 가장 불안정하고 수행이 어려운 기간으로 설명한다. 한 다리로 체중을 지지하고 서기도 어려운데 추가로 좁은 BOS에서 COM이 벗어나 더 멀어지는 과정이 후기 디딤기 동안의 동작이기 때문이다. 이 동작을 엉덩관절 굽힘근과 발목관절의 발바닥쪽굽힘근이 원심성으로 조절하게 된다. 충분한 근력과 조절이 부족하다면 수행하기 어렵다.

후기 디딤기(TSt)부터 추진력에 관여하는 밀기(push-off)를 수행하는데, 이때 발바닥쪽굽힘근은 체중을 지지하는(버티는) 역할을 수행한다. 발바닥쪽굽힘근의 원심성 활성으로 힘줄 복합체에 탄성에너지로 저장되고, 이어지는 전 흔듦기(PSw) 동안 구심성 활성의 에너지 발생으로 추진력이 발생한다.

	WA		SLS		SLA			
IC	LR	MSt	TSt	PSw	ISw	MSw	TSw	
	0	10	30	50	60	75	87	100

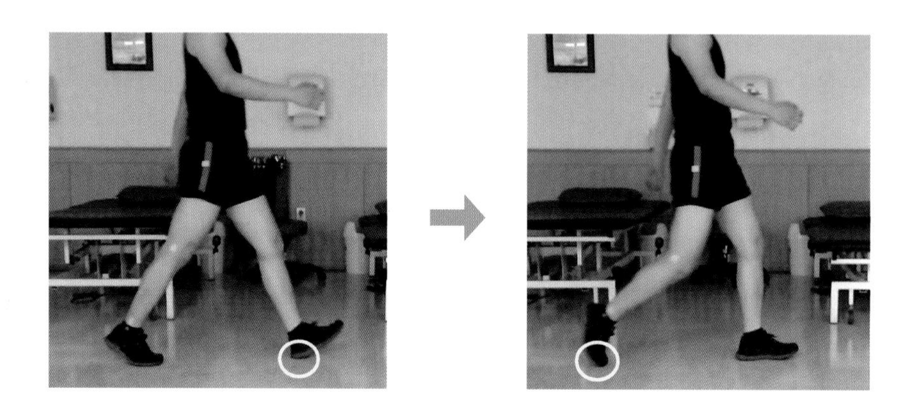

- 보행주기의 50~60%
- 2nd Double limb support
- Hip neutral position, Knee flexion (passive), Ankle plantarflexion
- Hip flexor & Ankle plantarflexor (concentric activation)
- Push-off
- 체중 이동, 무릎관절 굽힘

그림 3-5 다리 전진기(swing limb advancement) - 전 흔듦기(pre swing)

05. 다리 전진기(swing limb advancement) - 전 흔듦기(pre swing)

보행주기의 50~60% 기간이다. 또는 50~62%의 기간으로 보기도 한다. 반대쪽 초기 닿기(opposite IC)에서 발가락 떼기(toe off)까지이다. 또한 두번째 두 다리 지지기(double limb support) 기간이다.

운동형상학은 엉덩관절은 중립 위치, 발목관절은 최대 발바닥쪽굽힘 20°되고, 무릎관절은 약 40° 굽힘된다.

근육활성은 엉덩관절 굽힘근의 구심성 활성, 발목관절 발바닥쪽굽힘근의 구심성 활성이 나타난다. 50% 지점 반대쪽 초기 닿기(opposite IC)를 기점으로 엉덩관절 굽힘근, 발목관절 발바닥쪽굽힘근이 원심성 활성에서 구심성 활성으로 바뀌게 된다.

임상에서 전 흔듦기(PSw)는 매우 특별하고 중요한 의미를 가지고 있다. 전 흔듦기는 구조적으로 디딤기(stance phase)에 속하지만 기능적으로는 다리 전진기(SLA)에 속한다.

다리의 역할은 다리를 앞으로 옮기기 위한 준비를 수행한다. 체중을 이동시키고, 다리를 짧게 만들기 위해 무릎관절에서 굽힘이 일어난다. 이때 무릎관절의 수동적인 굽힘은 엉덩관절의 굽힘과 발목관절의 발바닥쪽굽힘 모멘트에 의한 것이다. 후기 디딤기(TSt)부터 전 흔듦기(PSw)까지 밀기(push-off)가 수행되는데, 발바닥쪽굽힘근에 저장된 에너지가 분출되면서 밀기(push-off)의 모멘트가 무릎관절을 굽힘시키는 능동적인 힘의 역할을 수행한다.

Pre swing은 swing 전에 swing을 준비한다는 의미를 가지고 있다. 전 흔듦기(PSw) 동안의 수행이 이어지는 흔듦기(swing phase)의 수행에 큰 영향을 주게 된다.

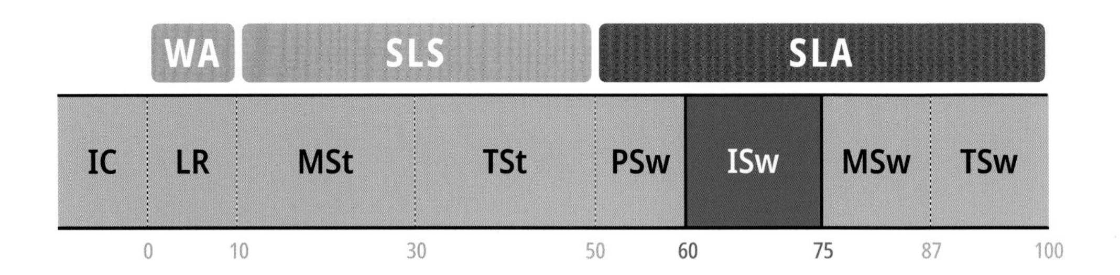

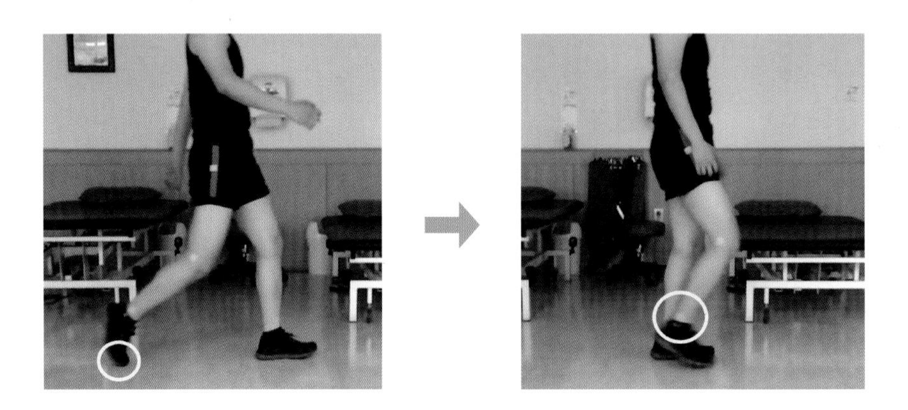

- 보행주기의 60~75%
- Swing limb advancement
- Hip flexion, Knee flexion, Ankle dorsiflexion
- Hip flexor, Ankle dorsiflexor
- Pull-off (acceleration)
- 다리를 앞으로 이동, 발이 끌리지 않기, 걸음 길이(stride length) 만들기

그림 3-6 다리 전진기(swing limb advancement) - 초기 흔듦기(initial swing)

06. 다리 전진기(swing limb advancement) - 초기 흔듦기(initial swing)

보행주기의 60~75% 기간이다. 또는 62~75%의 기간으로 보기도 한다. 발가락 떼기(toe off)에서 양발 인접(feet adjacent)까지이다. 또한 다리를 앞으로 옮기는 다리 전진기(swing limb advancement) 기간이다.

운동형상학은 엉덩관절은 굽힘, 무릎관절은 최대 60° 굽힘된다. 발목관절은 중립 위치까지 빠르게 발등굽힘된다.

근육활성은 엉덩관절 굽힘근의 구심성 활성, 발목관절 발등굽힘근의 구심성 활성이 나타난다. 전 흔듦기(PSw)에서 초기 흔듦기(ISw) 동안 넙다리곧은근(rectus femoris)의 활성이 나타나는데, 무릎관절 굽힘을 조절(억제)하기 위한 원심성 활성이 약간 나타난다.

다리의 역할은 걸음 길이(stride length) 만들기인데, 발이 지면에 끌리지 않기 위해 발 끌림 없이 이동(foot clearance)이 필요하다.

임상에서 걸음 길이(stride length)는 흔듦기 동안 다리의 이동거리이다. 뒤에서 앞으로 약 1.4 m의 거리를 이동해야 하는데, 충분한 가속력이 필요하다. 초기 흔듦기 동안 엉덩관절 굽힘근의 강한 활성이 나타나는데, 이것을 발 들기(당기기, pull-off)라고 부르며 다리를 앞으로 옮기기 위한 가속력을 높이는 역할을 말한다. 일반적으로 추진력에 관여하는 발 밀기를 많이 알고 있겠지만, 발목관절의 근력이 약한 경우 다음으로 추진력에 관여하는 것은 바로 발 들기의 수행이다

WA	SLS		SLA			
IC	LR	MSt	TSt	PSw	ISw	MSw	TSw

0 10 30 50 60 75 87 100

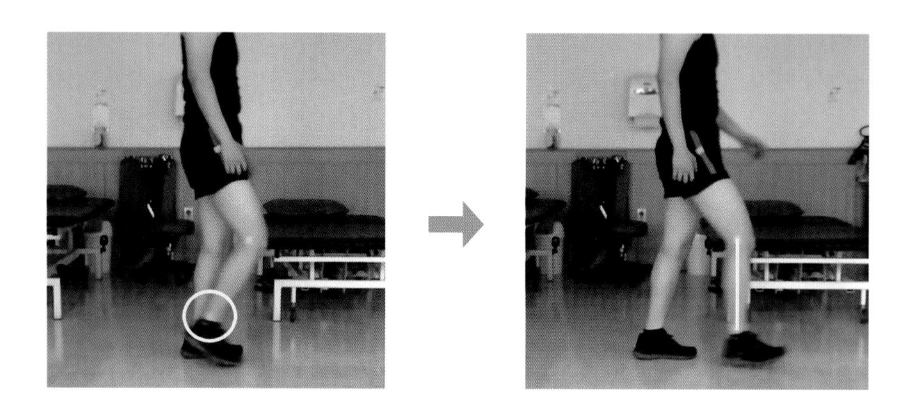

- 보행주기의 75~87%
- Swing limb advancement
- Hip flexion, Knee flexion, Ankle dorsiflexion
- Muscle activation ↓
- 다리를 앞으로 이동, 발이 끌리지 않기, 걸음 길이(stride length) 만들기

그림 3-7 다리 전진기(swing limb advancement) - 중간 흔듦기(mid swing)

07. 다리 전진기(swing limb advancement) - 중간 흔듦기(mid swing)

보행주기의 75~87% 기간이다. 또는 73~87%의 기간으로 보기도 한다. 양발인접(feet adjacent)에서 정강이 수직(tibia vertical)까지이다. 다리를 앞으로 옮기는 다리 전진기(swing limb advancement) 기간이다.

운동형상학은 엉덩관절 굽힘, 무릎관절은 최대 굽힘 이후 다시 폄이 시작된다. 발목관절은 중립 위치를 유지한다.

근육활성은 초기 흔듦기(ISw) 동안 얻어진 운동량으로 이동하며 근육의 활동은 최저가 된다.

다리의 역할은 걸음 길이(stride length)를 만들기 위해 앞으로 이동한다. 발이 지면에 끌리지 않기 위해 발끌림 없이 이동(foot clearance)이 필요하다.

임상에서 환자들에게 가장 흔히 발생되는 문제가 바로 발끌림(foot drag)이다. 흔듦기 동안 발끌림 없이 이동(foot clearance)에 관여하는 여러 요소들이 있다. 골반이 아래로 떨어지고, 무릎관절에서는 최대 굽힘이 필요하다. 발목관절에서는 발등굽힘이 필요하다.

발이 지면에 끌리게 되면 흔듦기 동안 다리의 움직임을 수행하기 힘들어진다. 환자는 발끌림을 보상하고 어떻게든 다리를 앞으로 옮기기 위해 골반을 들어 올리거나, 휘돌림 보행 패턴(circumduction gait) 등을 보이게 된다.

	WA	SLS		SLA			
IC	LR	MSt	TSt	PSw	ISw	MSw	TSw

0 10 30 50 60 75 87 100

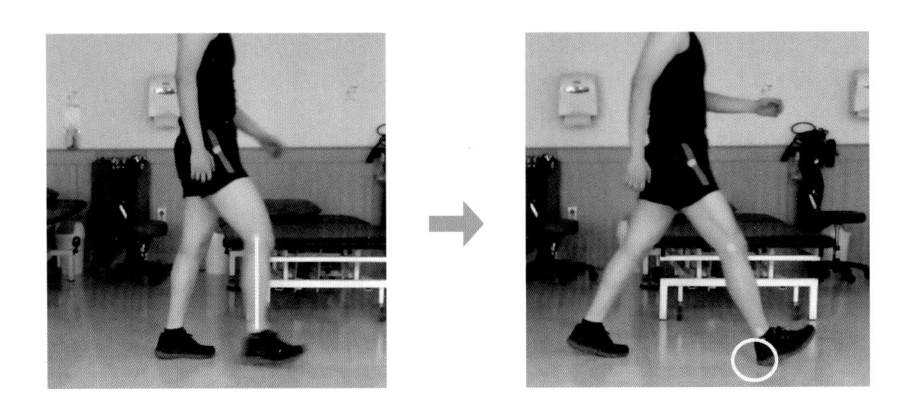

- 보행주기의 87~100%
- 지면에 닿기 위한 준비
- Knee extension
- Knee flexor (deceleration)
- 다리를 앞으로 이동, 발이 끌리지 않기, 걸음 길이(stride length) 만들기

그림 3-8 다리 전진기(swing limb advancement) - 후기 흔듦기(terminal swing)

08. 다리 전진기(swing limb advancement) - 후기 흔듦기(terminal swing)

보행주기의 87~100% 기간이다.

정강이 수직(tibia vertical)에서 다음 초기 닿기(initial contact)까지이다. 다시 지면에 닿기 위한 준비를 하는 다리 전진기 기간이다.

운동형상학은 엉덩관절은 굽힘 25°, 무릎관절은 최대 폄된다. 발목관절은 중립 위치를 유지한다.

근육활성은 무릎관절 굽힘근의 원심성 활성이 나타난다. 엉덩관절 폄근, 발목관절 발등굽힘근이 다음 초기 닿기(IC) 전에 활성된다.

다리의 역할은 다시 초기 닿기(IC)하기 위한 준비로, 무릎관절에서 감속을 위해 무릎관절 굽힘근의 원심성 활성이 나타난다.

09. 보행주기 동안 다리의 역할은?

앞의 내용들을 통해, 약 1초 동안의 두 걸음을 많은 생체역학 정보를 가지고 설명할 수 있게 되었다. 보행의 생체역학(운동학)을 공부하면 실제 환자들을 치료할 때 많은 도움이 된다. 보행주기를 각 부분과 기간으로 정확히 구분하고 이를 이용해 더욱 자세히 설명할 수 있게 된다. 보행주기 동안 운동형상학, 근육 활성의 타이밍과 유형을 알면 보행 동안 다리가 수행하는 역할이 무엇인지 알 수 있게 된다.

보행 중 다리의 역할을 간단하게 요약하면, **딛고 옮기는 것이다**. 바꿔 말하면 stance phase & swing phase이다. 체중을 지지하고(디딤기) 다리를 앞으로 옮긴다(흔듦기). 여기에서 더 세분하면 체중 수용기(WA; 두 다리로 서기, DLS), 한 다리로 서기(SLS), 발을 앞으로 옮기기(SLA), 보행의 3가지 기능적 과제로 설명한다. 더 세분해서 들어가면 체중수용 & 충격흡수(LR), 신체의 최대 높이(MSt), 추가적인 폄(TSt), 이동을 위한 준비(PSw), 발끌림 없이 옮기기 & 뒤에서 앞으로 옮기기(ISw, MSw, TSw)로 보행주기 기간 동안 수행하는 기능을 설명한다.

이런 다리의 역할은 생체역학 정보를 바탕으로 임상 경험을 모아서 정리하게 되었다. 치료사는 환자의 보행에서 이러한 다리의 역할 중 수행이 부족한 부분을 찾아서 더 잘 수행하도록 중재를 계획하고 시행해야 한다.

지금까지 보행 훈련을 위해 치료사에게 필요한 최소한의 기본적인 생체역학 지식을 정리하였다. 이 책을 따라 실제 임상에서 적용하는 내용을 살펴보고, 더 필요한 부분을 여러 다른 자료들을 찾아보며 공부해보길 바란다.

보행 관찰 및 분석

PART

02

제04장 무엇을 관찰하는가?

그림 4-1 거리를 걷는 사람들의 모습

보행을 공부하면서 실제 사람들이 어떻게 걷고 있는지 관찰해보자. 먼저 일반적인 정상 보행을 관찰하는 연습을 하고, 그 다음 환자의 보행을 관찰하게 되면 정상 패턴에서 벗어난 오차를 감지하고 찾아낼 수 있게 된다. 앞에서 공부했던 내용을 가지고 임상에서 어떻게 보행을 관찰하는지 알아보자.

운동 과제(보행)의 관찰 및 분석은 운동 장애 평가의 기본 요소이다. 보행을 관찰하고 해석하는 것은 임상에서 흔히 시행하는 일련의 과정이다.

주로 치료사의 관찰에 의존하게 되는데 환자의 영상을 여러 치료사들에게 보여주고 관찰한 것을 작성하게 하였다. 결과는 관찰한 내용이 제각각이었다. **생각해보면**, 같은 환자의 걷는 모습을 보고 치료사마다 관찰과 해석이 다르다면 신뢰할 수 없을 것이다. 치료사가 무엇을 관찰해야 하는지, 어떻게 분석해야 하는지 체계를 만들어야 하고 연습해야 한다. 지금부터 서울재활병원에서 사용하는 관찰하는 방법, 분석하는 방법에 대해 알아보자.

01. 무엇을 관찰하는가?

동작에서 우리가 눈으로 볼 수 있는 것은 움직임의 모양(kinematics)이다. 걷는 동안 신체 분절들의 각도를 관찰하게 된다. 예를 들면, 전반슬(genu recurvatum)은 무릎관절의 과도한 폄, 발목관절의 과도한 발바닥굽힘으로 표현할 수 있다. 치료사는 배경 지식에 근거하여 정상에서 벗어난 오차를 찾게 되는데, 이것을 **보행 편차(gait deviation)**라고 한다. 보행 편차는 운동형상학 요소로 관절 각도(joint angle), 보폭(step length), 자세(posture), 대칭(symmetry) 등을 포함한다.

과도한 또는 부족한 관절 각도, 보폭의 감소, 비대칭적 자세, 골반의 처짐(drop) 또는 기울임(tilt) 등 관절 각도를 이용하여 서술한다.

보행 편차를 찾기 위해서는 앞서 2장에서 설명한 보행 동안 신체 분절의 운동형상학 정보를 이해하는 것이 필요하다.

02. 보행 편차는 언제 발생하였나?

움직이는 동작을 설명하기 위해서 그 동작이 언제 발생한 것인지에 대한 정보가 포함되어야 한다. 예를 들면 전반슬은 디딤기 동안 발생한다. 더 자세히 설명하면 LR, 그리고 MSt에서 무릎관절의 과도한 폄으로 설명할 수 있다. 보행을 말 또는 글로 설명하기 위해서는 공간상의 요소(kinematics)와 보행주기의 시점과 기간을 이용한 시간상의 요소(보행주기)를 포함해야 한다.

보행 편차가 일어난 시기를 적절하게 구분해야 한다. 이를 위해서 1장에서 설명한 보행주기의 시점과 기간으로 구분하는 이해가 필요하다.

03. 보행주기의 속력에 따른 관점 차이

흔히 정상보행을 공부할 때도 그렇고 보행주기의 기간으로 나누어서 설명한다. 그런데 이 보행주기의 기간은 보행 속력이 빠른(정상에 가까운) 환자는 설명할 수 있지만, 대부분의 느린 속력의 환자인 경우에는 보행주기의 기간으로 설명하기 어려운 문제가 발생한다.[12)]그러므로 보행주기를 나눌 때 속력에 따라 구분해서 보아야 한다.

이해를 돕기 위해 부채로 설명해보자. 보행 속력이 빠른 사람의 경우 펼쳐진 부채처럼 다리가 앞뒤로 크게 걷게 되고, 그 안에 보행주기의 기간이 다 들어가게 된다. 하지만 보행 속력이 느린 환자의 경우 접혀진 부채처럼 다리의 보폭이 줄어들게 되고, 그 안에 **보행주기의 기간은 생략되거나 아주 짧은 시간 동안만 나타나게 된다.** 그래서 보행 속력이 느린 환자는 보행주기의 기간으로 설명이 어렵다.

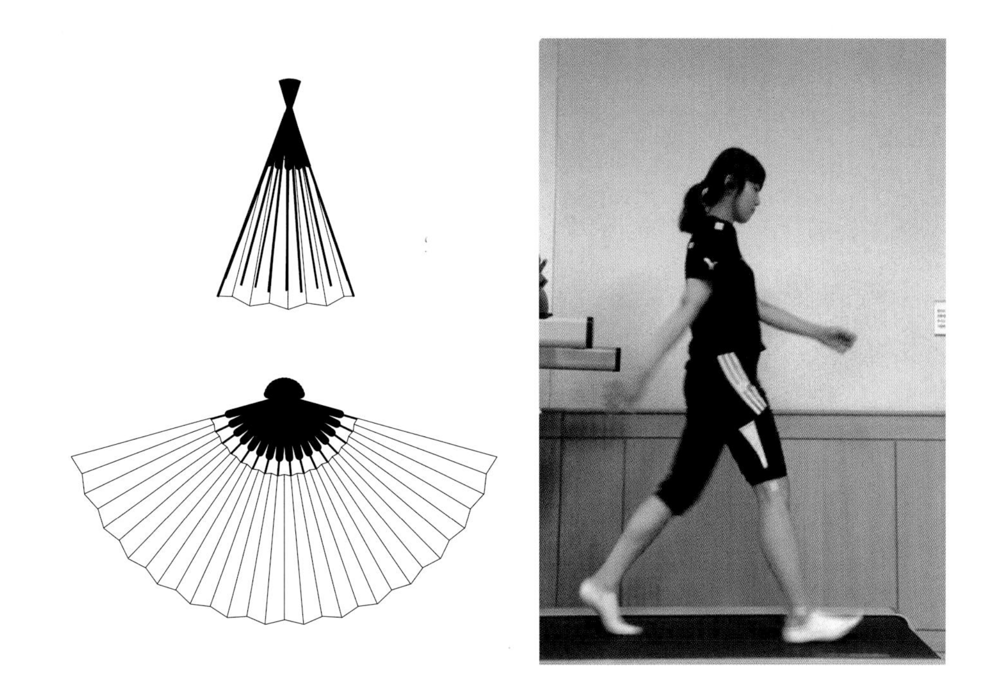

그림 4-2 정상 보행주기에서는 펼쳐진 부채처럼, 느린 속력에서는 접혀진 부채처럼 보행주기가 생략된다.

그렇다면 속력이 느린 환자의 보행주기를 어떻게 나누어서 관찰할 수 있을까? 그것은 바로 보행주기의 3가지 기능적 과제로 나누어서 관찰하는 것이다. 사람이 '걷는다'라고 말하려면 보행의 3가지 기능적 과제는 항상 포함이 되어야 한다. 그래서 보행 속력에 상관없이, 모든 사람의 보행을 구분하는 데 사용할 수 있다.

① **체중 수용기(weight acceptance)**는 초기 닿기부터 반대쪽 발가락 떼기까지를 말한다. 관찰할 때는 두 다리가 지면에 지지하고 있을 때 앞에 있는 다리를 체중 수용기로 구분한다.

② **한 다리 지지기(single limb support)**는 반대쪽 발가락 떼기부터 반대쪽 초기 닿기까지를 말한다. 관찰할 때는 한 다리로 지지하고 있는 동안을 한 다리 지지기로 구분한다.

③ **다리 전진기(swing limb advancement)**는 반대쪽 초기 닿기부터 다음 초기 닿기까지를 말한다. 관찰할 때는 PSw부터 흔듦기 동안으로 구분하면 된다.

임상에서 3가지 기능적 과제 분류는 매우 중요하다. 이는 다리의 기능을 설명하는 용어이면서 동시에 보행주기를 구분하는 중요한 지표로 사용된다. 이렇게 보행 속력에 따라서 3가지 기능적 과제 또는 8개의 기간(IC를 기간으로 포함하면 8기간, IC를 시점으로 분류하면 7기간)으로 구분해서 관찰하고 설명할 수 있다.

이제 환자의 영상을 관찰하면서 정상 보행에서 벗어난 오차(보행 편차)를 찾고, 그것이 언제 발생한 것인지 시점, 기간, 과제로 구분하여 설명해보자. 이렇게 반복적으로 관찰하고 설명(서술)하는 것을 연습해야 한다.

예를 들면,

WA 동안 발목관절의 안쪽 들림[inversion (supination)]
SLS 동안 무릎관절의 과도한 폄(hyper extension)
SLA 동안 휘돌림 패턴(circumduction pattern), 발끌림(toe dragging)
IC 때 발 앞 부분 닿기(forefoot contact)
TSt 동안 부족한 엉덩관절 폄(less than normal hip extension)
PSw 동안 무릎관절의 폄(무릎관절의 굽힘 부족)

04. 무엇을 관찰하는가? 요약

이번 주제는 걷는 모습을 관찰할 때, '무엇을 관찰하는가?'라는 질문에 대한 답이다. 치료사는 고가의 동작 분석 장비를 이용할 수 있다면 좋겠지만 현실에서 최선의 방법은 치료사의 눈을 이용하는 것이다. 보행의 생체역학(운동학) 지식이 있으면 눈을 이용한 관찰로 걷는 동안 다리의 움직임을 충분히 설명할 수 있게 된다.

첫째, 치료사는 환자의 보행을 관찰하고 보행 편차를 찾는다. 보행 편차는 주로 운동형상학(kinematics) 요소이다. 관절 각도, 보폭, 자세, 대칭성 등 정상 보행과의 차이를 찾을 수 있다. 이렇게 하기 위해 배경지식이 되는 보행의 운동형상학(kinematics) 정보가 필요하다.

둘째, 동작을 말로 설명하고 의사소통하기 위해서는 그 동작이 언제 나타난 것인지에 대한 정보가 포함되어야 한다. 그것은 시점, 기간, 그리고 3가지 기능적 과제로 구분해서 설명할 수 있다. 속력에 따라 보행주기의 구분이 달라지기 때문에 속력이 느린 환자의 보행은 3가지 기능적 과제로 구분하는 것이 타당하다.

결론은 보행주기의 시점, 기간, 3가지 기능적 과제로 구분하고 보행 편차(gait deviations)를 찾아서 환자의 걷는 모습을 관찰하자는 것이다.

서울재활병원에서는 3가지 기능적 과제로 구분하고 관절 각도를 이용해서 보행을 관찰하며 의사소통에 이용하고 있다. 관찰이 명확해져야 관찰한 것에 대한 분석(해석)이 이루어질 수 있다. 환자의 보행을 관찰하고 보행 편차를 찾는 연습을 많이 하자.

제05장 어떻게 분석하는가?

관찰은 반복해서 보고 찾고, 또 연습하면 된다.

중요한 것은 '**보행 편차가 왜 발생했는가?**'이다.

앞에서 환자의 보행을 관찰하고 보행 편차를 찾는 과정을 설명했다. 다음 순서는 관찰한 보행 편차가 어떤 의미가 있는지 분석(해석)하는 과정이다.

환자들은 움직임 장애가 왜 발생하는가? 또 움직임 장애에 영향을 주는 요인은 어떤 것들이 있는가? 치료사는 환자의 보행을 보고 움직임 장애의 이유나 잠재적인 원인이 무엇인지 생각하게 된다. 환자의 보행 편차가 나타나게 된 기저의 문제는 무엇일까? 이제부터 전문적인 영역으로 들어가 보자.

01. 관찰과 분석 구분하기

경험이 많은 치료사의 경우, 관찰과 동시에 기여하는 손상을 추측하고 분석하는 것을 볼 수 있다. 그런데 이것을 주의해야 한다. 보행 편차가 발생하고 여기에 영향을 주는 여러

가능성 있는 손상을 따져 보아야 한다. 관찰한 내용과 보행 편차에 영향을 주는 손상은 가설 검증 과정을 거쳐 확인해야 한다.

예를 들면, 환자의 보행 영상을 관찰한 치료사가 이렇게 생각할 수 있다.

'LR 동안 무릎관절 폄근의 과긴장으로 인해 무릎관절에서 과도한 폄이 발생하였다.'

여기에서 관찰한 내용은 LR 동안 무릎관절의 과도한 폄이다. 보행 편차에 기여하는 손상은 무릎관절 폄근의 과긴장이 있을 것이라는 해석을 내리게 된다. 치료사는 무릎관절 폄근이 과긴장되었을 때 무릎관절의 과도한 폄이 발생한다는 것을 배경지식이나 경험으로 알고 있었을 것이다. 이렇게 치료사가 가진 배경 지식이나 경험에 의해 해석하게 되는데, 문제는 이것이 치료사의 주관적인 생각이기 때문에 가설을 세우고 검증하는 중간 과정이 필요하다는 것이다.

그래서 'LR 동안 무릎관절 폄근의 과긴장으로 인해 무릎관절에서 과도한 폄이 발생하였을까?'라는 가설을 세우고 확인 과정을 거쳐야 한다. 먼저 실제 무릎관절 폄근의 과긴장이 있는지 검사해야 하고, 과긴장 이외에 영향을 주는 또 다른 손상이 있는지도 확인한다. 예를 들면 발목관절 발등굽힘 제한이 있는지, 무릎관절 폄근의 약화가 있는 것인지, 골반의 앞 기울임이 있는 것인지 등 여러 가능성을 두고 검사해야 한다.

＊ 이 책에서는 관찰과 분석의 개념을 분리하였다.

관찰은 '보행주기에서 각 관절의 각도가 언제, 어떻게 되었다'로 서술되는 보다 객관적인 정보로 사용한다.

분석은 관찰된 보행 편차에 기여하는 손상을 찾는 것을 포함하는데, 손상의 존재 가능성을 추측하고 가설을 세우기 때문에 보다 주관적인 과정이 포함된다.

02. 수행에 영향을 주는 손상은 무엇인가?

신경계는 신체 분절의 움직임을 조절한다. 이런 신경계의 병변은 움직임 조절 장애를 불러일으킨다. 또한 신체 구조와 기능에 손상을 발생시킨다. 이런 손상(impairments)은 1차적으로 근육의 약화(weakness), 기민성(dexterity) 감소, 감각 결손(sensory deficit), 강직(spasticity) 등이 발생하고, 2차적으로 연부조직 단축, 관절 구축(contracture), 지구력 감소 등이 나타난다. 손상들은 환자의 보행 수행에 영향을 끼친다.[13)]

치료사는 수행(performance)과 손상(impairments) 사이의 상호작용에 대한 이해가 필요하다.

03. 손상의 4가지 범주

신경계 손상 환자의 보행 수행에 영향을 주는 요소를 크게 4가지 범주로 구분하였다.[14)]

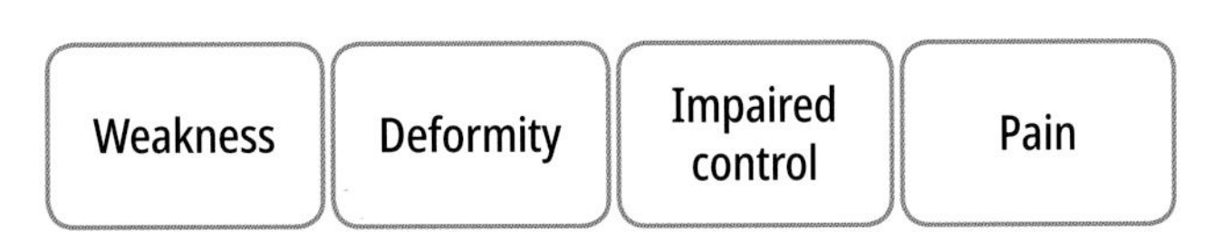

그림 5-1 수행에 영향을 주는 가능성 있는 손상들

1) 근력의 약화(weakness)

다리에서 움직임을 만드는 힘들 중 근육의 힘은 매우 중요하다. 근육이 생성하는 구심성 힘에 의해 추진력이 발생하고, 원심성 활성으로 움직임을 감속시키고, 등척성 활성으로 자세를 안정시킨다. 근력이 약화되면 움직임이 감소하고 관절의 안정성이 저하된다. 그리고 보행 속력이 감소하고, 움직임을 조절하고 균형을 조절하는 능력이 저하되며, 낙상의 위험이 증가하는 등 움직임 수행에 영향을 끼치게 된다.

2) 변형(deformity)

병변의 2차적인 결과로 관절의 가동성이 저하되고 변형이 유발될 수 있다. 구조적인 변형, 연부조직의 단축 등으로 관절가동범위가 제한된다. 디딤기 동안 발목관절 발등굽힘의 각도가 제한된다면 반대쪽 발이 앞으로 진행하는 것을 억제하게 된다. 관절 변형, 가동범위 제한으로 무릎관절에서 굽힘이 발생하지 않는다면, 흔듦기 동안 골반의 상승이나 휘돌림 보행(circumduction gait) 등의 보상작용이 발생한다.

3) 조절 손상(impaired control)

움직임 조절의 결과로 움직임의 정확성, 협응성, 균형, 타이밍 등의 움직임 특성이 나타난다. 효율적인 움직임 수행을 위해서는 여러 신경계통의 협력이 필요하다. 이중 감각의 역할은 협응 움직임 조절에 매우 중요하다. 감각의 결손이 있다면 움직임 조절에 심각한 손상이 발생할 것이다. 섬세한 움직임(dexterity) 조절을 위해서는 감각의 역할이 필수적이다.

4) 통증(pain)

통증이 있는 환자가 불편함을 예방하거나 완화하려고 시도하면서 보행 편차가 유발된다. 통증은 다른 범주의 원인과 관련이 있는 경우가 많으며, 임상적으로 중요한 원인이 된다.

치료사는 환자의 수행을 관찰하고, 이에 영향을 미치는 손상이 무엇인지 고민하게 된다. 신경계 병변으로 환자들은 여러 가지 손상을 가지고 있다. 이런 손상들은 근력의 약화, 관절가동범위의 제한, 조절(협응, 균형) 장애, 감각 결손, 통증 등 하나 또는 그 이상의 여러 가지 복합적인 손상으로 나타난다. 치료사는 신경계 병변으로 발생하는 신체의 여러 손상에 대한 이해가 필요하다. 즉, 엉덩관절 폄근의 근력이 부족할 때 어떤 수행이 나타나는지, 무릎관절의 굽힘과 폄의 관절가동범위가 부족하면 어떤 수행이 나타나는지, 발목관절의 고유감각이 저하되면 어떤 수행이 나타나는지 알고 있어야 한다. 이런 것을 수행과 손상과의 상호 관계를 파악하는 것이라고 하며, 분석에서 중요하게 다루어지는 요소이다. 손상과 수행과의 관계를 파악하기 위해서는 앞에서 공부한 생체역학 지식과 신경계의 운동조절, 그리고 충분한 임상 경험이 바탕이 되어야 한다.

04. 보행 편차에 영향을 미치는 가능성 있는 손상

보행 편차를 설명하는 문헌들을 살펴보면 보행 편차와 함께 영향을 미치는 손상들을 제시하고 있다.

예를 들면, 무릎관절 과다폄(knee hyperextension)에 관여하는 손상으로 7~8가지 이상의 손상을 설명하고 있다.[14]

- 무릎관절 폄근의 약화가 있을 때 무릎관절을 폄시켜 구조적인 수동 장력으로 다리가 무너지는 것을 방지한다. 지면반발력의 벡터가 무릎관절의 앞으로 지나가서 무릎관절의 폄 모멘트를 만들게 된다. 무릎관절의 과다폄은 말초신경마비 환자의 넙다리네갈래근 약화 환자의 보상 메커니즘이다.
- 무릎관절 폄근의 강직(spasticity)이 있으면 LR 동안 무릎관절 굽힘의 원심성 조절이 폄으로 바뀐다.
- 엉덩관절 폄근의 약화가 있으면 골반이 앞으로 기울어지고 허리 앞기울임이 발생한다. (forward pelvic tilt, lumbar hyper lordosis)
- 무릎관절 굽힘근은 디딤기 동안 무릎관절 굽힘을 조절하기 위해 필요하고, 특히 무릎관절 폄근의 강직이 있을 때 무릎관절 굽힘근의 근력이 필요한데, 무릎관절 굽힘근의 약화가 있다면 역시 무릎관절은 과다폄이 나타나게 된다.
- 발목관절 발등굽힘 제한은 발목관절 발등굽힘근 약화, 발목관절 발바닥쪽굽힘근의 단축이나 강직의 결과로 무릎관절의 과다폄이 나타난다.
- 이외에 통증이 있거나 감각 결손, 특히 고유감각 손상이 있는 경우, 무릎관절의 과다폄 패턴이 나타나게 된다.

위와 같은 손상들이 무릎관절 과다폄에 영향을 줄 수 있는데, 문제는 환자마다 가지고 있는 손상의 종류가 다르고 각 손상마다 손상의 정도가 다르다는 것이다. 무릎관절 과다폄의 원인은 근력의 약화이거나 감각의 결손일 수 있고, 혹은 모두일 수도 있다. 그래서 무릎관절 과다폄의 보행 편차를 보이는 환자가 있으면 여기에 영향을 미치는 가능성 있는 손상들을 나열하고, 관련된 검사를 진행하고 확인하게 된다. 보행 편차와 이에 영향을 미치는 손상들을 검사를 통해 파악하고 손상에 대한 중재를 계획한다.

05. 보행 편차와 손상이 수행에 미치는 영향

보행 편차와 손상은 환자의 보행 수행에 어떻게든 영향을 끼치게 된다. 예를 들어, 발처짐(foot drop)이 나타나는 환자의 경우를 보자. 발목관절의 발등굽힘근이 약화가 있고 swing phase 동안 발처짐이 발생한다. 그렇다면 근력 약화의 손상과 발처짐의 보행 편차는 환자의 다리 전진기 동안 다리를 앞으로 옮기는 수행에 영향을 준다. 다시 말하면 다리의 역할, 기능에 문제를 야기한다. 다리 전진기 동안 발끌림이 나타나고 다리를 앞으로 옮기기 어렵게 된다.

환자가 가지고 있는 여러 손상과 보행 편차들이 보행 수행에 연관되어 있는지 알기 위해서 도움이 되는 방법이 있다. 보행 동안 달성해야 하는 과제 즉, 다리의 역할, 기능을 알고 있으면 보행 편차나 손상으로 인해 달성하지 못하는 과제를 연결하여 찾으면 된다.

06. 보행 동안 달성해야 하는 과제

WA	체중 지지, 충격 흡수 초기 닿기 안정성 정강뼈의 전방 이동
SLS	한 다리로 서기 위한 안정성 체중심의 최대 높이 반대쪽 보폭을 위한 추가적인 엉덩관절 폄
SLA	이동을 위한 준비 발끌림 없이 이동하기 흔듦기 동안 걸음 걸이(stride length) 이동

그림 5-2 보행 동안 달성해야 하는 과제(역할, 기능)

보행 동안 신체 분절들은 목적을 가지고 움직인다. 보행의 수행을 평가할 때 움직임의 목적(과제)을 달성하는지 여부를 확인한다. 보행이라는 활동의 목적을 3가지 기능적 과제로 설명한 것이 과제용어이고, 보행 편차와 손상은 실제로 보행 동안 달성해야 하는 과제(역할, 기능)에 영향을 미친다.

훈련 지침에서 다루겠지만 치료사는 보행 동안 달성하지 못한, 달성해야 하는 과제들을 달성하도록 훈련해야 한다. 이를 위해서 보행 편차와 손상, 그리고 과제 사이의 상호작용을 알아야 한다.

07. 어떻게 분석하는가? 요약

이번 주제는 관찰한 내용을 어떻게 분석할 것인가에 대한 내용이다. 관찰은 보행 편차를 찾는 과정이다. 분석은 관찰된 보행 편차에 관여하는 기저의 손상을 찾는 과정이다. 그리고 보행 편차와 손상이 보행의 수행에 결정적인 영향을 주는 것인지 확인하는 과정이다.

이때 두 가지를 기억해야 한다.

① 보행 편차를 찾고 편차에 영향을 주는 '가능성 있는 기저의 손상'을 추측하고 검사한다.
- 가능성 있는 손상

② 보행 편차와 손상이 보행 수행에 어떤 영향을 미치는지 3가지 기능적 과제의 달성 여부를 확인한다.
- 수행에 미치는 영향

보행 편차와 손상, 그리고 과제는 서로 연관되어 있다. 환자의 보행에서 보행 편차, 손상, 과제의 달성 여부를 확인하고 상호 연관성을 밝히는 과정이 관찰과 분석의 핵심적인 내용이다.

제06장 보행 관찰 - 분석 평가

서울재활병원에서는 환자의 보행 수행 변화를 관찰하고 분석하기 위한 평가를 만들어 사용하고 있다. 보행 관찰 분석 평가는 치료사의 의사결정 과정(decision-making process)을 보조하기 위한 수단으로 만들어졌다. 치료사는 주관적인 생각의 흐름을 따라 작성하며, 가설을 세우고 검증하며 치료를 계획하고, 실행 후 재평가의 과정을 거치게 된다. 이런 과정을 통해 관찰 및 분석의 과정이 반복적으로 연습되도록 한다. 이제 보행 관찰 - 분석 평가 과정을 알아보자.

01. 영상 촬영 방법

실제 치료 현장에서 고가의 동작 분석 장비를 이용할 수 있다면 좋겠지만 대부분은 그런 장비를 이용하기 힘들다. 다행히도 과거에 비해 지금은 고성능의 촬영 장비(스마트폰)를 하나씩은 가지고 있다. 이를 이용해 환자의 걷는 모습을 5~10 걸음 정도 촬영하고, 반복해서 관찰하면 된다.

개인정보 보호법에 의해 환자의 영상을 수집할 때는 동의를 구해야 한다. 경우에 따라서 환자 본인이나 보호자의 스마트폰으로 촬영해서 관찰하기도 한다.

그림 6-1 환자의 옆에서, 앞이나 뒤에서 걷는 모습을 촬영한다.

Tip

① 안전에 주의하며 옆에서 그리고 앞 또는 뒤에서 촬영한다.

② 바지는 무릎관절이 노출되도록 걷고, 상의는 바지 속으로 넣는다. 보행 보조 도구는 되도록 최소로 하여 걷게 한다.

③ 안전! 안전! 안전! 환자의 안전이 최우선이다. 환자와 보호자에게 충분히 설명하고 안전에 주의하자.

서울재활병원에서는 환자의 동의를 구하고, 안전한 상태에서 5~10 걸음 정도를 옆에서, 그리고 앞 또는 뒤에서 촬영한다. 촬영을 하는 사람은 움직이지 않고 제자리에 서서 흔들림을 최소화하며 환자를 따라 촬영한다.

환자는 자신이 어떻게 걷고 있는지 잘 모르는 경우가 많고, 어떤 부분이 문제이고 무엇이 필요한 것인지 많이 궁금해 한다. 치료사는 환자와 영상을 보며 보행을 관찰하고 분석하여 현재 보행 상태를 설명한다.

발병 초기부터 환자의 걷는 모습을 촬영해두는 것은 매우 필요한 과정이며, 전문가의 설명으로 환자 본인과 보호자가 환자의 보행 상태와 수준을 이해하는 것이 중요하다. 무엇보다 환자의 보행 관찰 분석 평가가 보행 훈련에 도움이 된다.

02. 보행 관찰 분석 평가 과정

1) 보행 관찰(observed gait)

환자의 보행 영상을 반복해서 관찰한다. 그리고 보행주기의 과제, 기간 동안 관찰된 보행 편차를 기록한다.

2) 손상(impairments)

보행 편차가 나타나게 된 기저의 가능성 있는 손상이 무엇인지 검사한다. 검사의 결과에 따라 손상 정도를 파악하고, 필요한 경우 추가 평가를 시행한다.

3) 과제의 달성 여부(interfere with functional tasks)

달성해야 하는 과제를 방해하는 주요한 보행 편차와 손상을 파악한다.

4) 중재 계획(intervention)

수행을 향상시키기 위해 손상을 해결하고 과제를 달성할 수 있도록 중재를 계획한다.

5) 재평가(Re-assessment)

중재의 결과를 판단하기 위해 재평가를 시행한다.

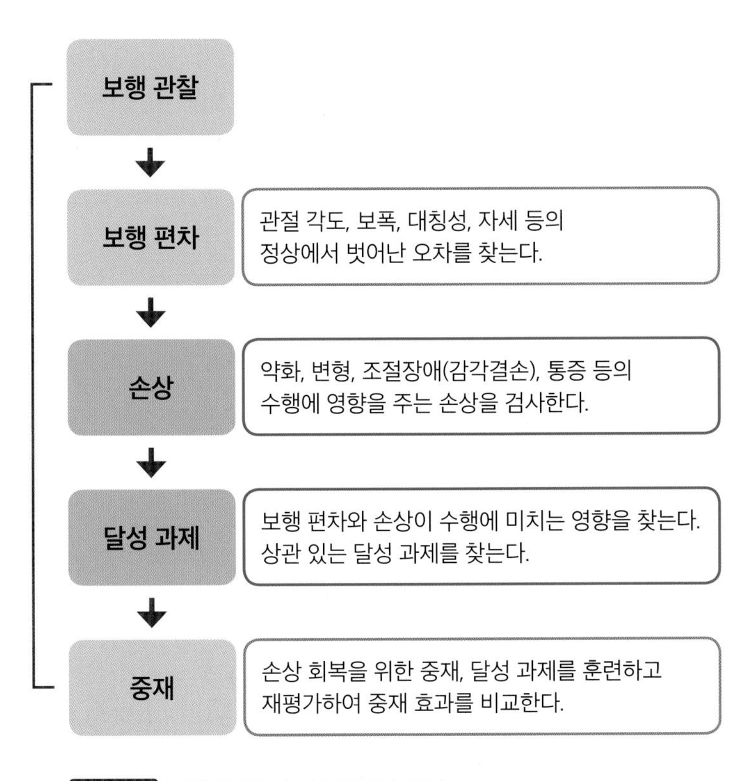

그림 6-2 보행 관찰과 분석 평가의 과정

보행 훈련

제 07장 훈련의 3가지 목표

제 08장 일반적인 보행 훈련 지침

제 09장 병적 보행

PART 03

훈련의 3가지 목표

신경계 병변을 가진 환자들 대부분의 요구는 잘 걷게 해달라는 것이다. 무엇을 보고 '잘 걷는다'라고 판단할 수 있을까? 잘 걷는 것의 기준이 훈련의 목표가 된다.

01. 치료사가 중요하게 생각하는 훈련의 목표

보행 훈련에서 목표로 삼을 수 있는 부분은 크게 3가지 범주로 나눌 수 있다.

첫째는 독립성이다. 독립성이란, 환자가 독립적으로 걸을 수 있는지를 말한다. 환자가 독립적으로 집안에서 걷는 것, 환자가 집을 나와서 집 주변을 안전하게 걷는 것, 그리고 더 나아가서 사회적 보행이 가능하도록 하는 것을 목표로 한다.

둘째는 효율성(보행 속력)이다. 환자의 보행 기능을 나타내는 가장 중요한 지표가 보행 속력이다. 보행을 공부하고 치료를 하면서 알게 되었지만, 속력은 매우 중요한 목표이다. 실제 임상에서 중요하게 초점을 맞추고 보행 훈련의 목표로 삼고 있다. 이유는 뒤에서 더 자세히 설명하겠다.

셋째는 보행 패턴(정상 보행)이다. 비정상 보행 패턴이 나타나지 않고 정상 보행 패턴으로 걷는 것을 목표로 한다. 신체 동작, 관절 움직임이 정상에 가깝도록 절뚝거림이나 비대칭, 비정상 보행 패턴을 최소화하는 것을 말한다. 환자, 보호자 그리고 치료사 역시 가장 고민하는 부분이 아닐까 생각한다. 문제는 패턴을 교정하는 치료가 어렵다는 것이다. 위의 목표들이 어떤 의미가 있는지 더 자세하게 하나씩 알아보자.

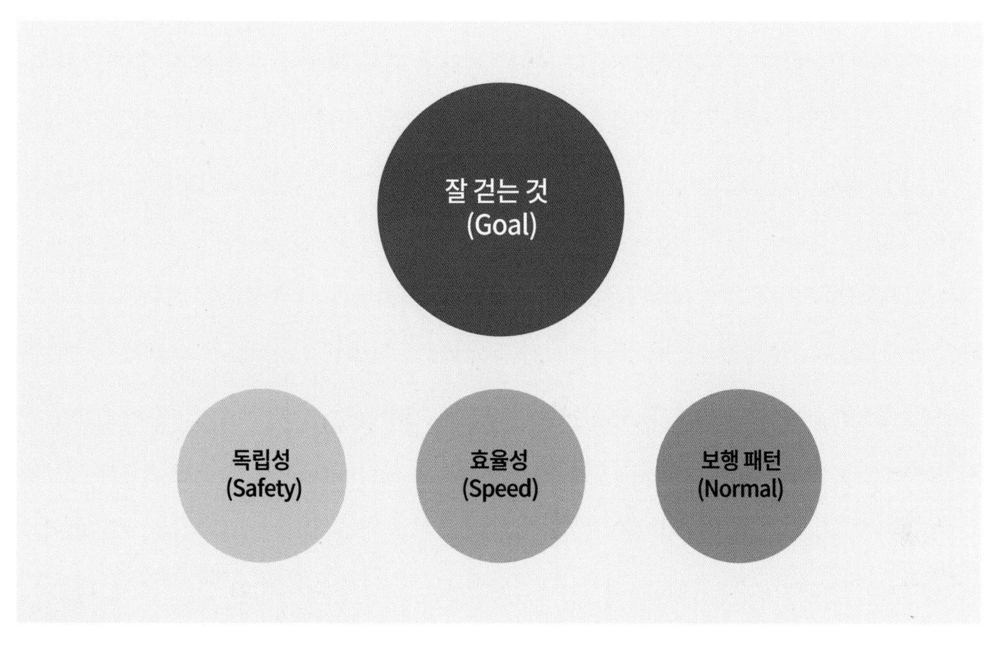

그림 7-1 보행 훈련의 3가지 목표

02. 독립성

치료사는 환자의 현재 생활과 퇴원 후 어떤 환경에서 생활하는지를 염두하고 치료를 진행하게 된다. 치료사가 옆에 있는 상태에서 활동하는 것과 환자의 독립적인 활동은 아주 큰 차이가 있다. 그리고 병원 내 환경과 병원 바깥 환경 또한 큰 차이가 있다. 그렇기 때문에 환자의 독립성을 치료 목표로 삼고 치료를 진행하게 된다. 그러면 환자가 집안에서 독립적으로 안전하게 보행하고, 더 나아가서 집을 벗어나 집 주변을 산책할 수 있도록 훈련할 수 있다. 그러기 위해서는 불규칙한 바닥에서 걷고, 오르막길과 내리막길, 그리고 계단을 오르고 내릴 수 있어야 한다. 또한 사회적 보행을 위해서는 붐비는 거리를 걷고, 신호등을 건너야 하고, 보도블럭, 장애물 등을 지날 수 있어야 한다. 이를 위해서 치료사는 환자의 안전하게 걷는 능력을 회복시키고, 환자에게 균형 훈련과 다양한 환경에서 걷는 연습을 시행하게 된다.

서울재활병원에서는, 환자가 실내에서 안전하게 이동하는 것이 목표일 때 치료실 안에서 앉고 일어서기와 결합된 간단한 이동 훈련(앉은 자리에서 일어서서 짧은 거리를 이동하고 다시 목표 지점에서 앉는다), 방향 전환이 포함된 짧은 거리 이동 훈련(목표 지점을 향해서 방향을 전환하여 이동한다) 등을 시행한다.

여기서 더 나아가 집 주변 보행과 사회적 보행이 목표인 환자의 경우, 직접적으로 실외에서 걷는 연습을 한다. 실제 환경에서 적응할 수 있도록 치료사와 함께 걷는 연습을 해보는 것이다. 치료실 안과 밖은 큰 환경적 차이가 있다. 흔히 치료실은 환자가 걷기 최적의 조건을 갖추고 있는 아주 온실과 같은 환경이라고 할 수 있다. 어느 정도 걷는 기능을 회복한 환자가 병원을 떠나서 바깥 환경에서 걷게 되면, 직접 겪어보지 않으면 알 수 없을 정도로 큰 어려움의 차이를 마주하게 된다.

치료사는 환자가 실외에서 겪을 수 있는 어려움들의 세세한 요소들을 알고 있어야 한다. 불규칙한 바닥에서 걷는 것, 차량이 지나다니는 것, 뛰어다니는 아이들이 마주오는 것 등의 요소 안에서 무시(neglect)를 가진 환자가 어떻게 걷는지 확인해야 한다. 이런 상황에서 환자의 긴장도는 더 높아지고, 발목은 더 돌아가며, 발끌림은 더 심해지는 상태가 나타난다. 여러 문헌에서 말하듯이 실제 바깥에서 걷기를 원한다면, 바깥에서 연습이 필요하다는 것은 당연하다.

서울재활병원에서는 실외 보행 규칙을 정해서 시행하고 있다. 실외 보행을 계획하였다면, 사전에 환자와 보호자에게 설명하고 동행한다. 돌발 상황에 대처하기 위해 휴대폰을 가지고 나가며, 책임자에게 보고하고 치료를 진행한다. 병원의 상황이 여의치 않다면 무리해서 실외 보행을 권하지는 않는다. 중요한 것은 환자가 실외에서 걷는 상황에 대한 이해가 있어야 치료사가 환자의 치료에 적절한 중재를 포함시킬 수 있다는 것이다.

03. 보행 속력(gait speed)

보행 속력은 보행의 기능성을 나타내는 매우 중요한 변수이다. 보행 기능 증진을 위해 치료사는 보행 속력 증가를 목표로 할 수 있다.

보행과 관련된 변수들은 속력에 따라 달라진다.

정상 보행 속력은 에너지 효율과 관련있다.

보행 속력 증가는 보행 패턴 향상과 관련이 있다.

그림 7-2 보행 속력의 의미

보행 속력은 환자의 보행에서 어떤 의미가 있는가?

만약 보행을 관통하는 단 하나의 키워드를 뽑아보라고 한다면, 그것은 바로 보행 속력이라고 할 것이다. 보행 속력은 매우 중요한 의미를 가지고 있다. 보행의 특성을 이야기할 때 항상 거론되는 것은 보행 속력이며, **보행과 관련된 모든 변수는 속력에 따라서 달라진다.**[16] 그렇기 때문에 보행과 관련된 변수들을 이야기할 때 그 변수가 보행의 어떤 속력에서 측정된 것인지 함께 설명해야 한다. 보행의 시·공간적 변수(step length, cadence)와 운동형상학(관절의 각도)을 통해, 눈에 보이지는 않지만 보행 동안 각 근육의 활성 등은 속력에 의존적으로 변하게 된다는 것을 알 수 있다. 그리고 보행주기 역시 속력에 따라서 변하게 된다. 앞에서 설명했지만 보행 속력에 따라 보행주기의 각 기간은 나타나기도 하고 생략되기도 한다. 그래서 보행주기가 온전히 나타나기 위해서는 일정 이상의 보행 속력이 필요하다. 보행 속력은 보행 전체에 작용하는 기준이 되기 때문에 매우 중요하다.

정상 보행 속력은 에너지 효율과 관련이 있다. 인간은 두 다리를 이용해서 걷기 때문에 위, 아래 움직임이 발생한다. 그래서 위치에너지와 운동에너지 사이에서 교환이 생기게 되고, 이런 교환을 통해서 에너지를 저장하고 효율을 높이게 된다. 운동에너지는 속력의 제곱에 비례하기 때문에 의미 있는 변수가 된다. 그리고 보행 속력에 따라 산소 소비량을 측정한 결과, 정상 보행 속력일 때 산소 소비 정도가 가장 적어서 효율적이었다.[17] 정상 보행 속력보다 느리거나 빠르게 되면 산소 소비가 증가한다. 즉, 에너지 소모가 크다는 것이다. 예를 들어 느리게 걷는 환자를 뒤따라 걷게 되면 건강한 치료사도 매우 힘들다고 느끼게 된다. 느리게 걷는 환자를 빠르게 걷게 했을 때 오히려 힘이 덜 들고, 에너지 효율이 증가하는 것을 경험할 수 있다.

보행 속력의 증가는 보행 패턴의 향상과 관련이 있다. 또한, 보행 속력과 후기 디딤기의 엉덩관절 폄과 상관관계가 있고, TSt의 엉덩관절 폄 각도 증가와 PSw의 엉덩관절 굽힘근이 더 많이 활성하는 것과 관련이 있다. TSt의 엉덩관절 폄 각도가 크면 클수록 보행 속력이 더 컸으며, 보행 속력과 최대 엉덩관절 굽힘 모멘트 사이에 강한 상관관계가 있었다.[18)]

속력을 증가시키는 2가지 전략이 있다. 하나는 보폭(step length)을 증가시키고, 또 하나는 분당걸음수(cadence)를 증가시키는 것이다. 보폭을 증가시킨다는 의미는 보행 주기를 회복시켜주는 것, hip, knee, ankle joint에서 잃어버린 관절 각도를 찾아주는 것이라는 의미가 있다.

분당걸음수(cadence)는 보행 주기의 타이밍, 시간에 대한 것이다. 보행주기의 타이밍을 빠르게 하여 짧은 시간 안에 많은 걸음을 만들어낸다. 이것은 에너지 효율적이고 율동적인 리듬을 만들어준다는 의미가 있다.

치료사들 중, 보행 패턴에 부정적인 영향을 주기 때문에 느리게 걷는 것을 중요하게 생각하는 사람은 속력을 증가시키는 것을 받아들이기 힘들 수 있다. 경우에 따라서 보행 속력이 빨라지면 보행 패턴이 더 안 좋아진다고 느낄 수 있다. 그런데 실제 임상에서 속력을 빠르게 했을 때 엉덩관절의 폄(TSt)이나, 무릎관절의 굽힘(PSw), 발목관절의 발바닥쪽 굽힘(push-off) 동작이 더 잘 나타나는 것을 관찰할 수 있다. 다시 말하면 엉덩관절의 폄, 무릎관절의 굽힘, 발목관절의 움직임을 더 잘 나타나게 하려면 적절한 보행 속력이 필요하다는 말로 바꿀 수 있다. 보행 속력은 보행을 관통하는 중요한 기준이 되는 변수이면서 보행 패턴과 에너지 효율과도 관련되어 있다. 치료사는 보행 속력의 중요성을 이해하고 어떻게 하면 보행 속력을 증가시킬 수 있는지 고민해야 한다.

04. 보행 패턴(normal gait pattern)

치료사는 환자의 비정상적인 보행 패턴에 눈길을 뺏기게 된다. 왜냐하면 비정상 보행 패턴은 에너지 소모가 크고, 연부조직에 강한 스트레스를 가하며, 통증을 유발할 수 있기 때문에 치료사들은 비정상 보행 패턴을 수정하려고 노력한다. 비정상 보행 패턴을 찾고 정상 보행 패턴에 가깝게 만드는 것을 목표로 할 수 있다.

임상에서 보행 패턴을 수정하기 위해 많은 중재를 시도하지만 그렇게 드라마틱한 변화를 이끌어내기란 쉬운 일은 아니다.

05. 치료사는 어떤 비정상 보행 패턴에 눈길을 뺏기는가?

원래 손상을 구분하는 positive sign, negative sign을 보행 패턴의 특징을 구분하기 위해 임의로 적용하여 분류하였다.

비정상 보행 패턴은 설명을 위해 크게 positive sign, negative sign 두 가지로 나눌 수 있다. positive sign은 원래 없던 보행 패턴이 나타난 것을 말하고, negative sign은 원래 있던 보행 패턴이 없어진 것을 말한다.

골반 올리기(hip hiking)가 발생
발끌림을 방지하기 위해 다리를 높이 들기가 발생
무릎관절에서 빠르게 폄되는 움직임(jerky)이 발생
무릎관절의 과도한 폄이 발생
휘돌림 보행(circumduction gait)이 발생

P

마비측의 디딤기 동안 엉덩관절 폄의 부족
TSt 동안 발목관절의 발등굽힘 부족과 발 밀기(push-off) 동안 발목관절의 움직임이 부족
PSw 동안 무릎관절의 굽힘 부족
흔듦기 동안 무릎관절과 엉덩관절의 굽힘 부족

N

그림 7-3 Positive sign은 원래 없던 보행 패턴이 나타난 것,
Negative sign은 원래 있던 보행 패턴이 없어진 것.
보행 패턴의 두 가지 구분.[19)]

에너지 소모가 크고 연부조직에 강한 스트레스를 가하는 보행 패턴을 피해야 하고, 보행 속력 증가와 보행 수행을 위한 패턴을 달성해야 한다. 그런데 생각해보면 치료사들은 주로 positive sign, 즉 원래 없던 보행 패턴이 새롭게 나타난 것에 시선을 빼앗기게 되고, 그 패턴을 억제하고 수정하는데 노력하게 된다. **상대적으로** 원래 있었던 보행 패턴들 중에서 나타나지 않게 된 negative sign 패턴들은 잘 고려하지 못한다. 원래 있었지만 나타나지 않게 된 보행 패턴을 찾아서 나타나도록 만들어주는 훈련 역시 중요하다는 것을 경험을 통해 알게 되었다. 이런 negative sign들은 보행 수행에 영향을 주고, 보행 속력 증가와 관련되어 있다. 치료사는 positive sign 뿐만 아니라 negative sign 역시 찾을 수 있어야 하며, 이를 각각 중재의 목표로 삼을 수 있어야 한다.

비정상 보행 패턴은 치료하기가 어렵다. 여러 가지 이유가 있을 수 있지만, 신경계 병변을 가진 환자들이 보이는 손상은 잘 회복되지 않는다. 만약 회복이 된다면 보행 수행 역시 좋은 결과를 얻을 수 있을 것이다. **문제는 손상이 있는 상태에서 보행 수행의 향상을 유도해야 할 때이다.** 이는 신경계 재활을 하고 있는 치료사들이 어려워하는 근본적인 이유가 아닐까 생각한다.

06. 보행 훈련의 3가지 목표 요약

임상에서는 크게 3가지 측면에서 목표를 고려하여 환자가 안전하게, 비정상 보행 패턴을 최소화하며, 적정 속력으로 걸을 수 있도록 치료하고 있다.

치료사의 고민은 좋은 보행 패턴으로 걷게 할 것인가? 또는 빠른 속력으로 걷게 할 것인가? 사이에서 결정하는 것이다. 이것은 오래된 논쟁으로, 여러 치료사들과 함께 고민하고 있는 문제이다. 치료사들은 보행 패턴을 위해 훈련하는 것과 보행 속력을 증가시키기 위해 훈련하는 것이 어떤 의미를 가지고, 이것을 어떻게 생각하고 있는지 고민해보기 바란다.

치료사가 치료의 방향을 설정하기 위한 목표를 크게 3가지 측면에서 설명하였다. 보행 패턴에 대해서는 치료사들이 많이 고려를 하지만, 보행 속력은 그 중요성이 많이 강조되지 못했던 것으로 느껴진다. 보다 강조하고 싶은 것은 환자의 기능성, 효율성, 그리고 보행 패턴 측면에서 보행 속력이 매우 중요하다는 것이다. 처음부터 보행 속력을 빠르게 하는 훈련이 어렵겠지만 속력에 초점을 맞춘 치료 방법을 고려하여 훈련해보길 바란다.

일반적인 보행 훈련 지침

결국, 보행 장애 환자의 수행을 향상시키기 위해서는 '어떻게 훈련해야 할까?' 라는 질문이 남게 된다. 보행 훈련은 보행 장애 환자의 기능 상태와 손상 정도에 따라 개별 접근이 필요하다. 이런 병적 보행에 따른 보행 훈련 방법은 뒤에서 알아본다.

이번 주제는 실제 치료실에서 어떻게 훈련하고 있는지 일반적인 보행 훈련 지침으로 설명하였다. 쉬운 내용이고 환자의 훈련에 대부분 적용 가능한 기본적인 훈련 방법이다.

지침 1. 다리 폄근의 근력 강화 훈련을 하라

잘 서야 잘 걸을 수 있다. 잘 서기 위해서는 다리 폄근의 충분한 근력과 조절 능력이 필요하다. 디딤기(stance phase) 동안 다리 폄근의 충분한 체중지지 목적을 달성하기 위한 훈련 방법을 알아보자.[20)]

선 자세에서 체중을 지지하고 다리가 무너지지 않도록 하기 위해서는 다리의 세 개 근육군의 협력 작용이 필요하다.

- 엉덩관절 폄근(hip extensor)
- 무릎관절 폄근(knee extensor)
- 발목관절 발바닥쪽굽힘근(ankle plantar flexor)

이 세 근육군들은 하나의 기능적 단위가 되어 선 자세에서 다리가 구부려지고 펴지는 동안 원심성 또는 구심성으로 작용한다. 이 근육군들은 한 근육이 약화가 되어도 다른 근육들에서 어느 정도 보상이 가능하다. 이 근육군을 훈련하는 방법을 알아보자.

01. 앉고 일어서기

앉은 자세와 선 자세를 유지할 수 있는 환자는 앉고 일어서기 운동을 시작할 수 있다.

일어서기 동작을 두 가지로 구분하면, 앉은 자세에서부터 엉덩이가 떨어지는 시점까지를 전 폄 단계(pre extension phase)라고 한다. 이 동작의 목적은 체중심을 앞으로 이동하는 것이다. 엉덩이가 떨어지고 선 자세까지를 폄 단계(extension phase)라고 한다.[21] 이 동작의 목적은 다리에서 큰 힘을 발생시키고, 체중을 지지하고 수행하는 동안 균형을 조절하는 것이다. 각 동작의 목적을 달성하도록 부분으로 나누어 훈련할 수 있다.

치료사는 엉덩관절과 무릎관절을 보조하여 앉고 일어서기 동작 수행을 도와줄 수 있다. 만약 환자의 근력이 약하다면 의자의 높이를 올려서 적은 근육의 힘으로 수행하도록 수정할 수 있다. 근력이 증가됨에 따라서 의자의 높이를 낮추면서 반복하여 훈련한다.

엉덩이가 떨어지는 시점에서 큰 힘 발생이 필요한데, 힘이 부족하다면 손을 사용하여 보상할 수 있는 방법을 교육할 수도 있다. 동작은 부분으로 나누어서 훈련하고 이후에 전체 동작으로 연습해야 한다.

02. 뒤꿈치 들기

선 자세에서 발바닥쪽굽힘근을 강화하기 위해 뒤꿈치 들기 운동을 시행할 수 있다. 환자의 근력이 약할 때는 치료사가 환자의 체중 전방 이동을 보조하게 되면 균형의 발목전략이 나타나고 근육 활성을 촉진시킬 수 있다. 균형 조절에 어려움이 있다면 의자나 벽을 짚고 서서 뒤꿈치 들기 운동을 수행할 수 있다. 발목관절의 발바닥쪽굽힘근은 보행의 디딤기 동안 추진력을 제공하는 중요한 근육이다. 뒤꿈치를 올리면서 구심성 활성, 내리면서 원심성 활성이 일어난다. 작은 블록 위에서 뒤꿈치 내리기 운동을 하면 발목관절 발등굽힘을 더 유도하여 발바닥쪽굽힘근의 신장성을 보존하는 중요한 운동이 된다.

03. 계단(블록) 오르고 내리기

계단이나 블록을 이용하여 오르고 내리기 운동을 시행할 수 있다. 다리를 딛고 몸을 올리고 내리면서 구심성, 원심성으로 연습한다. 블록을 여러 겹 쌓거나 두 계단을 오르면서 환자의 노력을 증가시킬 수 있다. 계단을 내려가기가 힘든 경우 하나의 계단에서 오르고 내리기를 반복하거나 뒤로 내려오기를 먼저 연습하여 무릎 관절의 움직임 조절을 연습하고 앞으로 내려오기를 시행할 수 있다.

이렇게 체중 지지 상태에서 다리 폄근의 구심성, 원심성 활성을 반복하여 연습하면서 근육의 근력을 증가시키고 체력을 증가시킬 수 있다. 환자가 입원하게 되면 기능적 근력 강화 운동을 기본적으로 교육하고 환자와 보호자가 함께 자가 운동으로 반복하여 훈련할 수 있도록 한다. 기능적 근력 강화 운동은 실생활에서 반복해서 수행하는 동작들이다. 무엇보다 보행의 디딤기 동작으로 전이 효과를 기대할 수 있다.

지침 2. 추진력에 관여하는 근육을 강화 훈련하라

보행 속력을 조절하는 근육은 보행에서 아주 중요하기 때문에, 근력 강화 운동을 할 때 중점을 두어야 한다. 특히 어떤 근육이 속력을 조절하는지 알아보자.

01. 발 밀기(push-off)

여러 문헌을 통해 보행에서 가장 큰 에너지 발생이 일어나는 기간은 발 밀기(push-off)라는 것을 알고 있다. 뒤꿈치가 올라가는 TSt에서 발가락이 떨어지는 PSw까지 작용한다. 발목관절 발바닥쪽굽힘근의 활성으로 지면을 밀어 몸을 앞으로 밀어주게 된다.

일정한 속력의 보행 동안 발 밀기는 두 가지 역할을 가지고 있다. 지지(버티는 역할)와 무릎관절의 굽힘이다.

TSt 동안 COM이 앞으로 이동하며 외적 토크에 저항하여 엉덩관절 굽힘근과 발목관절 발바닥쪽굽힘근에서 원심성 활성을 하게 된다. 이때는 체중을 버티는 지지의 역할을 한다. 이후에 반대쪽 초기 닿기(opposite IC)가 발생하고, 체중이 넘어가며 딛고 있던 다리의 발목관절 발바닥쪽굽힘근과 엉덩관절 굽힘근이 구심성으로 활성하게 되는데, 이를 통해 무릎관절에서 굽힘을 만드는 역할을 수행하게 된다.

가속이 필요한 경우, 걷는 동안 속력 증가를 위해 이 발 밀기 기간 동안 발목관절 발바닥쪽굽힘근의 구심성 활성이 증가하고, 이를 통해 추진력을 생성하게 된다.

02. 발 들기(pull-off)

다음으로 중요한 에너지 생성 기간은 발 들기(당기기, pull-off)이다.

발 밀기(push-off)에 비해 발 들기(pull-off)는 생소한 용어지만 매우 중요하다. 발 들기는 PSw부터 ISw 동안 발생한다. 엉덩관절 굽힘근의 활성으로 다리를 뒤에서 앞으로 당긴다. 다리에서 발생한 운동에너지로, 흔듦기 동안 다리를 앞으로 이동시켜 추진력에 관여하게 된다.

보행 속력은 흔듦기의 수행과 관련이 있다. 흔듦기 동안 다리는 뒤에서부터 앞으로 이동해야 하는 거리가 길다(stride length). 흔듦기의 수행은 걸음 길이(stride length)와 관계가 있고, 걸음 길이는 속력과 관계가 있다. 단위시간 동안 얼마나 이동했는가, 얼마나 효율적으로 수행하는가를 '흔듦기의 효율성'이라고 한다. 이 흔듦기의 효율성에 관여하는 것이 발 들기(pull-off) 기간 동안 엉덩관절 굽힘근의 작용이다.

03. 뒤에서 밀기(push from behind)

마지막으로 중요한 에너지 생성은 초기 입각기 동안 엉덩관절 폄근에서 발생한다. 뒤에서 밀기(push from behind)로 초기 입각기 동안 몸을 발의 앞으로 이동시키기 위해 엉덩관절이 펴지면서 몸을 뒤에서 앞으로 밀어준다. 뒤에서 밀기는 IC부터 MSt까지 발생하고, 디딤기 동안 엉덩관절의 안정성에 관여한다.

이 3개의 주요 에너지 생성이 신체를 전방으로 진행하기 위한 추진력을 만들게 된다. 이런 정보는 훈련을 위한 지침으로 사용되고, 구심성, 원심성 근육 활동이 포함된 근력 강화 훈련이 필요하다는 것을 말한다.

04. 임상 관점

문헌에서 에너지 생성에 기여하는 정도를 순서로 나열하면 **발 밀기** > **발 들기** > **뒤에서 밀기**이다. 실제로 추진력에 기여하는 정도는 문헌에 나와 있는 그대로이다. 하지만 임상에서 중요도는 뒤바뀌게 된다.

먼저 뒤에서 밀기에 관여하는 엉덩관절 폄근은 환자의 선 자세를 수행하기 위해 꼭 필요한 근육군이다. 엉덩관절 폄근육의 약화가 심하다면 환자는 선 자세를 유지하기 어렵고, 선 자세 유지가 안 되면 보행을 시작하기 어렵다. 그래서 엉덩관절 폄근은 보행을 시작하나 못하냐의 문제로 보기 때문에 중요하다.

다음으로 발 들기 엉덩관절 굽힘근이다. 엉덩관절 굽힘근은 발 들기의 흔들기 동안 다리를 앞으로 옮길 수 있느냐 없느냐를 결정한다. 환자가 엉덩관절 굽힘근의 근력이 있다면 좀 더 기능적인 속력의 보행을 할 수 있다. 하지만 근력이 약하다면 환자는 다리를 앞으로 옮기기 위해서 체간의 보상이나, 골반의 올림, 엉덩관절 모음근 사용 등의 보상작용을 보이게 된다. 엉덩관절 굽힘근은 흔듦기의 수행에 매우 중요하게 관여한다.

여기에 더하여 발목관절의 움직임을 잘 수행하는 환자는 그렇게 많지는 않지만 발 밀기 동안 발목관절의 발바닥쪽굽힘근의 근력을 사용할 수 있다면 더 빠른 속력으로 보행을 할 수 있다. 또는 PSw 동안 무릎관절의 굽힘을 더 잘 조절할 수 있다.

환자가 처음 입원을 하게 되고 근력 검사를 시행할 때 엉덩관절 폄근, 엉덩관절 굽힘근, 발목관절 근육군들의 근력을 평가해보면 보행 수행의 양상을 미리 짐작할 수 있다. 추가로 엉덩관절 벌림근은 SLS 동안 엉덩관절의 안정성에 관여한다. 근력 검사를 통해 지팡이 사용 유무를 판단하는 기준이 된다. 근력 검사에서 벌림근 약화가 나타난다면 지팡이의 사용이 필요할 수도 있다.

결론은 신경계 병변 환자의 경우 엉덩관절 폄근, 엉덩관절 굽힘근의 근력이 중요하다. 엉덩관절 폄근 근력이 강하면 설 수 있고, 여기에 엉덩관절 굽힘근 근력이 강하다면 어느 정도 기능적 보행 속력으로 보행할 수 있다. 여기에 발목관절 발바닥쪽굽힘근까지 이용할 수 있다면 더 빠른 속력으로 보행할 수 있다. 그래서 일차적으로 환자의 엉덩관절 폄근, 엉덩관절 굽힘근의 반복적인 근력 강화 훈련이 꼭 포함되어야 한다.

지침 3. 보행의 부분 연습으로 각 동작의 목적을 훈련하라

앞에서 보행주기를 3가지 기능적 과제로 나눌 수 있었다. 이번에는 각 동작에서 달성해야 하는 과제(역할, 기능)를 연습한다.

01. 체중 수용기(weight acceptance)

발을 앞뒤로 벌리고 선 다음 체중을 이동하고, 지지하는 역할을 달성하도록 연습한다. 그리고 동작을 느리게 수행하면서 체중 지지와 체중 이동을 연습한다. 수행의 난이도를 조절하기 위해 처음에는 좁은 보폭에서 점차 보폭을 넓히면서 체중 이동의 범위를 증가시킨다. 여기에 추가하여 발목관절에서 발바닥쪽굽힘(뒤쪽 다리의 PSw), 발등굽힘(앞쪽 다리의 LR) 동작 수행을 훈련할 수 있다. 치료사는 환자의 상태에 맞게 적절한 지지를 제공하고 보조를 통해 엉덩관절, 무릎관절, 발목관절의 움직임을 조절하며 훈련한다.

02. 한 다리 지지기(single limb support)

한 다리로 서기 위해 다리관절의 폄근과 엉덩관절 벌림근의 활성이 필요하다. 엉덩관절 벌림근이 약하다면 반대편에 지지대를 제공한다. 반대쪽 발을 앞, 뒤로 옮기면서 한 다리 지지를 반복해서 연습한다. MSt 동안 반대쪽 발은 앞으로 지나가고, 그 동안 다리는 체중심이 최대 높이가 되도록 폄근을 활성한다. TSt 동안에는 반대쪽 발이 앞으로 이동할 수 있도록 딛고 있는 다리의 추가적인 폄이 잘 수행되게끔 훈련한다. 엉덩관절 굽힘근과 발목관절의 발바닥쪽굽힘근의 원심성 활성을 유도하고 체중을 버티고 선다. 반대쪽 발의 이동거리를 점차 증가시키면서 딛고 있는 다리의 엉덩관절 폄 각도를 증가시키며 훈련한다. 한 다리로 서기 훈련은 환자의 상태에 맞게 적절한 지지를 제공하고 보조를 줄여가면서 시행한다.

03. 다리 전진기(swing limb advancement)

PSw 동안 다리의 역할은 체중을 넘겨주고 발목관절의 발바닥쪽굽힘과 함께 무릎관절에서 굽힘을 수행한다. 무릎관절의 굽힘을 달성하고 이후에 발끌림 없이(foot clearance) 충분한 걸음 길이(stride length)를 달성하는 연습을 시행한다. 만약 발끌림이 발생하고 무릎관절에서 굽힘이 부족하다면, 경우에 따라서 무릎관절의 굽힘근을 사용하도록 보상작용을 훈련할 수 있다. 정상보행에서는 PSw, ISw 동안 무릎관절 굽힘근의 근활성이 나타나지 않지만, 발목관절에서의 힘 발생이 어렵다면 **무릎관절 굽힘근의 활성**을 이용하여 SLA 동안 무릎관절의 굽힘을 달성하도록 훈련한다. 발끌림이 있다면 발목관절의 발등굽힘을 고정할 수 있는 발목 보호대(LP-634)나 발목 보조기(UD-flex)를 착용한다. 흔들기 동안 충분한 걸음 길이를 달성하기 위해 환자에게 "발을 앞으로 당기세요!"라고 주문하고 발 들기의 타이밍을 적절하게 수행하도록 훈련한다.[23]

환자의 보행에서 부족한 과제를 찾고 동작에서 달성해야 하는 과제를 수행하도록 부분 연습을 반복하여 시행한다.

지침 4. 직접적인 보행 훈련의 비중을 높여라

마지막으로, 당연한 말이지만 실제 보행 훈련 시간을 충분히 확보하여 훈련해야 한다. 치료시간 30분 중 보행 훈련이 차지하는 비중을 높여야 한다.[24)]

효율적인 보행은 걷는 연습(activity training) 그 자체를 통해 향상된다. 환자에게 의미 있는 보행 과제를 반복적으로(강도 높게) 연습해야 한다.

01. 구성요소 간 상호작용

보행 과제는 이전 상태의 영향을 받기 때문에 전체적으로 연습해야 한다. 보행을 각 부분 과제로 나눠서 연습을 했다면, 최종적으로 전체적인 연습을 해야 한다. 왜냐하면 보행 동작 안에 연결된 상호작용이 있기 때문이다.

예를 들면, TSt 동안 엉덩관절에서 폄이 나타나야 반대측 보폭이 증가된다. 반대측 보폭이 증가되면 딛고 있는 다리의 발 밀기 이후 힘의 방향이 앞으로 밀어주게 될 것이고, 이 힘에 의해 무릎관절은 굽힘이 될 것이다. 무릎관절에서 충분한 굽힘이 나타나면 흔듦기 동안 발끌림 없이 앞으로 잘 이동할 수 있게 될 것이다. 이렇게 보행주기 안에서 각 동작 사이의 상호작용(연결)이 존재한다. 이런 상호작용은 보행을 전체적으로 연습할 때 훈련이 된다.

02. 신경근육계통의 조절

보행 동안 근수축의 타이밍, 협응, 균형 조절, 환경의 요구에 적응하는 능력을 키우기 위해서는 직접적으로 그 상황과 환경 속에서 보행 과제를 연습해야 한다.

많은 근육들이 주로 디딤기 또는 흔들기에 활동한다. 근육들은 오케스트라 방식으로 정확하게 수축하고 이완한다.[25)] 이 문장은 움직임 동안 이뤄지는 근육의 조화로운 조절을 잘 설명한다. 개별 근육의 훈련으로는 이런 조절을 훈련시킬 수 없고, 보행 훈련 그 자체에서 이런 조절을 훈련할 수 있다.

이런 신경근육계통의 조절 측면에서, 직접적인 보행 과제를 반복하여 연습하는 것이 중요하다.

03. 보행 훈련의 난이도 조절

환자의 상태와 상황을 고려하여 적절한 보행 과제의 난이도를 조절한다. 지지(support)를 줄여나가며 횟수(amount)를 증가시킨다. 그리고 여러 방향(direction)으로 걷고 보행 속력(speed)을 올리며 다양한 환경(environment)에서 걷는 연습을 시행한다.

첫째, 치료사의 보조와 보행 보조 도구를 사용하여 걷는 연습을 시행한다. 점차 보조와 보조 도구의 의존도를 줄여나가면서 연습한다. 보행 보조 도구의 변화를 통해서 난이도를 조절할 수 있다.

둘째, 운동량을 늘려간다. 반복 횟수를 증가시키고, 치료실 이외의 시간에 자가 운동을 할 수 있도록 연습 방법을 교육한다.

셋째, 보행 속력을 증가시키고 옆으로 걷기, 뒤로 걷기 등 다양한 방향으로 걷기, 이중 과제 보행 훈련 등을 시행한다.

넷째, 여러 환경에서 적응할 수 있도록 실내, 실외, 계단, 장애물 넘어가기, 화장실 이동하기, 병동 이동하기, 옆 건물로 이동하기 등 다양한 환경에서 걷는 연습을 시행한다.

초기에는 걷기 활동에 대한 개념을 형성하는 것이 중요하다. 즉, 보행이 율동적이고 주기적으로 반복된다는 생각을 갖도록 해야 한다. 환자가 걷는 것에 집중하는 동안, 치료사는 환자를 보조하거나 도움을 줄 수 있다.

낙상의 위험이 있어 보행 훈련을 하기 힘든 환자의 경우, 하네스를 착용한 트레드밀에서 걷는 것을 연습할 수 있다. 하네스를 착용하여 안전하게 연습이 가능하다. 또한 트레드밀은 트랙이 뒤로 이동하면서 엉덩관절의 폄, 발목관절의 발등굽힘을 유도하기 때문에 수행의 도움이 되는 측면이 있다. 보행 훈련을 할 때, 환자의 보행 능력에 맞는 보행 과제를 설정하고 점진적으로 난이도를 높이면서 반복해서 훈련을 시행하자.

04. 보행 훈련에 초점을 맞추다(focusing on gait training)

'보행 훈련에 초점을 맞추다'는 보행 장애 환자의 보행 수행을 향상시키기 위해서는 무엇보다 보행 훈련의 비중을 높여야 한다는 것을 강조하는 것이다. 당연한 말이지만 잘 걷기 위해서는 걷기에 초점을 맞추어 연습해야 한다. 기본적인 훈련의 원칙을 알아보자.

보행 훈련의 3가지 원칙

원칙 1 동작의 목적을 달성하도록 훈련하라

원칙 2 동작 그 자체를 훈련하라

원칙 3 수행의 난이도를 조절하라

보행 훈련의 첫 번째 원칙은 동작의 목적을 달성하도록 훈련하는 것이다. 보행 동안 각 동작은 달성해야 하는 과제(기능, 역할)로 표현되는 동작의 목적을 수행한다.

예를 들면, 디딤기(stance phase) 동작의 목적에는 체중지지가 있다. 흔듦기(swing phase) 동작의 목적은 다리의 이동에 있다. 두 다리 지지기 동안 체중 수용, 체중 이동의 목적이 있다. 한 다리 지지기는 반대쪽 다리가 앞으로 지나가는 동안 한 다리로 체중을 지지하고 서는 목적이 있다. 다리 전진기(swing limb advancement)는 다리 전진기가 시행되는 동안 무릎관절을 구부리고, 발끌림 없이 다리를 앞으로 이동해야 하는 목적이 있다. 후기 디딤기(terminal stance)는 반대쪽 다리의 충분한 보폭을 위해 추가적인 폄의 목적을 수행한다. 전 흔듦기(pre swing)는 전 흔듦기를 시행하는 동안 무릎관절을 구부리는 목적이 있다. 치료사는 각 동작의 목적을 달성하도록 훈련해야 한다.

보행 훈련의 두 번째 원칙은 동작 그 자체를 훈련하는 것이다. 동작은 그 자체로 훈련하는 것이 훈련 특이성(specificity of training)과 훈련 효과 전이(transfer of training effects)

측면에서 효과적이다.

훈련의 특이성은 동작 수행 향상을 위해서는 훈련 조건이 그 동작과 그 상황에 맞춰야 한다는 것을 의미한다. 예를 들면, 앉고 일어서기 수행을 향상시키길 원한다면 앉고 일어서기 동작을 그 상황(환경)에 최대한 맞추어 훈련해야 한다는 것이다.

훈련 효과의 전이는 연습하는 동작이 다른 환경과 다른 상황에서도 수행이 전이되는 것을 말한다. 예를 들면, 치료실 안에서 걷는 수행이 병동이나 집으로 돌아가서도 전이되어야 하는 것을 치료사는 고려해야 한다. 전이 효과는 전형적으로 크지 않지만 그 동작과 상황이 비슷할수록 전이 효과를 기대할 수 있다. 훈련의 특이성, 훈련 효과 전이의 개념은 신경계 재활에서 매우 중요하기 때문에 꼭 추가로 공부를 해보기 바란다.[20)]

요약하면 실제 걷기를 위해서는 걷는 동작으로 훈련하는 것이 매우 당연하다.

보행 훈련의 세번째 원칙은 수행의 난이도를 조절하여 훈련하는 것이다. 먼저 환자의 기능 수준과 손상의 정도에 따라 동작의 난이도를 조절할 수 있어야 한다. 환자의 기능 수준이 낮다면 동작의 난이도를 쉽게 만들어 환자의 능동적인 동작 수행을 유도한다. 환자의 수행이 향상됨에 따라 동작의 난이도를 높여 환자 스스로 문제를 해결할 수 있도록 훈련의 난이도를 조절할 수 있다.

05. 반복 없는 반복(Bernstein, 1967)

동작 훈련을 반복하여 연습하면서 근력과 조절을 향상시키고 환자들이 스스로 동작을 수행하는 적절한 방법을 만들게 된다. 또한 다양한 조건에서 동작을 반복 연습하는 것은 변화된 환경 조건에서 발생하는 움직임의 문제들을 해결하는 능력을 발전시킨다.

보행 훈련의 3가지 원칙을 따라 보행 동작의 목적을 달성하도록 훈련하며 보행 동작 그 자체를 훈련한다. 환자의 기능 수준과 손상 정도에 맞는 보행 동작 난이도를 제시하고, 환자가 능동적으로 동작을 반복하여 훈련하도록 하는 것이 치료사의 역할이다.

06. 보행 훈련 지침 요약

일반적인 보행 훈련에서 다음과 같은 지침을 가지고 있다.

지침 1 다리 폄근의 근력 강화 훈련을 하라

지침 2 추진력에 관여하는 근육을 강화 훈련하라

지침 3 보행의 부분 연습으로 각 동작의 목적을 훈련하라

지침 4 직접적인 보행 훈련의 비중을 높여라

첫째, 잘 서야 잘 걸을 수 있다. 잘 서기 위해서는 다리 폄근의 근력 강화 운동이 필요하다. 기능적 근력 강화 운동으로 앉고 일어서기, 뒤꿈치 들기, 계단 오르고 내리기가 있다. 운동을 반복하며 다리 폄근의 근력을 증가시킨다.

둘째, 추진력에 관여하는 근육은 매우 중요하다. 뒤에서 밀기(push from behind, hip extensor), 발 들기(pull-off, hip flexor), 발 밀기(push-off, ankle plantar flexor)의 작용을 이해하고, 이 근육군의 근력 강화 운동이 포함되어야 한다.

셋째, 보행을 3가지 기능적 과제로 구분할 수 있다. 각 과제 동안 다리가 달성해야 하는 역할을 잘 수행하도록 목적에 맞게 훈련해야 한다.

넷째, 보행은 걷는 연습을 통해 향상된다. 환자의 상태와 상황에 맞게 보행 과제를 세팅하고 직접적인 보행을 연습하는 비중을 높여서 훈련해야 한다.

위의 지침은 보행 훈련의 큰 틀에서 적용 가능한 내용들과 꼭 필요한 부분들을 요약해서 설명하고 있다. 일반적인 훈련 지침을 적용하고 세부적인 환자의 신체 수준과 기능 수준을 고려한 중재를 추가하자.

제 09장 병적 보행

이 장에서는 신경계 병변을 가진 환자의 보행에서 나타나는 병적 보행(pathological gait)과 개별 훈련 방법을 알아본다.

치료사는 보행 편차(gait deviation)를 관찰할 수 있어야 한다. 그리고 가능성 있는 손상(impairments)을 검사하고, 보행 편차와 손상을 해결하기 위한 중재를 계획하고 실행하게 된다. 보행 편차와 손상이 보행 수행에 어떤 연관이 있는지 임상적 의미를 설명하였다.

신경계 병변으로 인한 환자의 기능 수준과 손상 정도는 다양하고 복합적이기 때문에 문제 해결 과정을 적용하기가 매우 어렵다. 제시하는 훈련 방법 이외에도 치료사는 추론 과정에서 많은 경우의 수를 따져보아야 한다. 환자의 상태와 상황을 고려하여, 의사결정을 고민할 때 참고하길 바란다.

01. 발목(ankle)

1) 발 앞부분 닿기 또는 발바닥 닿기(forefoot or foot flat contact)

(1) 보행 편차

- IC 뒤꿈치가 아닌 발 앞부분이 먼저 지면에 닿는다.

(2) 가능성 있는 손상

- WA 동안 발등굽힘근 약화, 발바닥쪽굽힘근 강직, 발바닥쪽굽힘 구축
- TSw 동안 무릎관절이 굽힘되어 이차적인 영향으로 발바닥 닿기가 나타날 수 있다. 넙다리 네갈래근(quadriceps)의 약화, 뒤넙다리근(hamstring)의 단축으로 인해 나타날 수 있다.

(3) 임상적 해석

발등굽힘근의 이완성 마비가 있는 경우와 발바닥쪽굽힘근의 강직 또는 단축이 있는 경우로 나눌 수 있다. 이완성 마비가 있는 경우는 흔듦기 동안의 발끌림과 동반되어 나타날 수 있다. 이런 경우, 발등굽힘을 보조할 수 있는 보조기를 착용하도록 한다.

발바닥쪽굽힘근의 강직이 있는 경우는 발 앞부분이 닿게 되면서 발목 경련(ankle clonus)이나 신장반사를 증가시켜 점진적인 변형의 가능성이 있다. 예를 들면, 무릎관절의 과도한 폄을 유발할 수 있다. 이런 경우, 발바닥쪽굽힘근의 유연성을 증진(뻣뻣함을 완화)하고 발등굽힘 가동범위를 확보하여 발 뒤꿈치가 지면에 닿아 체중의 지지를 경험할 수 있도록 훈련한다.

TSw 동안 무릎관절이 펌되지 못하고 굽힘된 영향으로 발바닥 닿기가 나타난다면, 넙다리 네갈래근의 약화 또는 뒤넙다리근(hamstring)의 단축을 검사한다. 최선은 발 뒤꿈치 닿기가 나타나는 것이지만, 차선으로 발의 앞부분이 먼저 닿는 것을 최소화하여 발바닥 닿기로 발 뒤꿈치가 들리지 않고 발 뒤꿈치로 충분한 체중부하가 되어 안정성을 확보하도록 훈련한다.

2) 발 때림(foot slap)

(1) 보행 편차

- 뒤꿈치 닿기 이후 바닥을 때리는 소리를 동반한 조절되지 못한 발바닥쪽굽힘이 일어난다.

(2) 가능성 있는 손상

- WA 동안 발등굽힘근 약화

(3) 임상적 해석

WA 동안 발바닥이 지면에 부딪히는 특징적인 '탁' 소리가 난다. 발목관절 발등굽힘근의 등척성 활성을 강화할 수 있는 운동을 시행한다.

3) 과도한 발바닥쪽굽힘(excess plantar flexion)

(1) 보행 편차

- WA, SLS 동안 정상보다 큰 발바닥쪽굽힘이 나타난다.

(2) 가능성 있는 손상

- WA, SLS 동안 발바닥쪽굽힘근 강직, 발바닥쪽굽힘 구축, 넙다리 네갈래근 약화, 고유감각 결손, 발목관절 통증
- SLA 동안 발등굽힘근의 약화, 발바닥쪽굽힘 구축, 발바닥쪽굽힘근 과긴장, 발등굽힘의 조절 손상

(3) 임상적 해석

발목관절에서 과도한 발바닥쪽굽힘은 많은 문제를 야기한다. 먼저 디딤기 동안 무릎관절의 과도한 폄에 영향을 준다. WA 동안 무릎 굽힘을 제한하여 충격 흡수를 방해한다. 발목에서 구름(rocker) 동작을 제한하고 정강이가 앞으로 이동하지 못하여 디딤기 동안 신체의 이동을 제한하게 된다. 그리고 엉덩이는 뒤로 빠지고 몸통의 앞쪽 기울임이 발생한다. 그렇기 때문에 WA, SLS 동안 발등굽힘 가동범위를 확보해야 한다. 발바닥쪽굽힘근의 단축을 확인하고 신장운동을 시행한다. 발목관절에서 발목구름(ankle rocker) 동작이 나타나도록 훈련한다.

다음 SLA 동안 과도한 발바닥쪽굽힘은 발끌림에 관여하게 되며, 이를 보상하기 위해 엉덩관절과 무릎관절에서 과도한 굽힘을 유발하게 된다. SLA 동안 발목관절의 과도한 발바닥쪽굽힘이 문제가 된다면 이를 해결하기 위해서 발목 보조기의 사용이 필요할 수도 있다.

4) 과도한 발등굽힘(excess dorsiflexion)

(1) 보행 편차

- 디딤기 동안 정상보다 큰 발등굽힘이 나타난다.

(2) 영향을 주는 손상

- WA, SLS 동안 장딴지근(calf muscle) 약화, 엉덩관절과 무릎관절의 과도한 굽힘의 이차적인 영향으로 과도한 발등굽힘이 나타날 수 있다.
- 비마비쪽 다리의 TSt 동안 마비쪽의 IC를 위해 딛고 있는 다리에서 자세를 낮추기 위한 보상작용으로 나타날 수 있다.

(3) 임상적 해석

SLS 동안 다리 폄근(특히 발바닥쪽굽힘근 약화)의 약화가 있는 환자에게 나타난다. 발바닥쪽굽힘근의 약화로 과도한 발등굽힘이 나타나는 경우, 발목관절이 고정된 AFO를 이용하여 발목관절을 중립 위치로 고정하게 되면 SLS 동안 무릎관절과 엉덩관절의 폄 수행이 향상된다.

딛고 있는 다리에서 불안정한 느낌(COM을 BOS 앞으로 보내지 못함)으로 인해 TSt 수행이 어려운 경우가 있다. 엉덩관절 굽힘근, 발목관절 발바닥쪽굽힘근의 약화를 검사해보고 MSt 자세에서 TSt 자세로 이동하며 체중을 버티고 자세를 유지하는 연습을 시행한다.

반대쪽의 IC를 위해서 딛고 있는 다리의 TSt 동안 엉덩관절, 무릎관절, 발목관절에서 굽힘이 발생할 수 있다. 이는 마비측의 IC 수행이 불안할 때 비마비측에서 나타난다.

발바닥쪽굽힘근의 근력 강화를 위해 뒤꿈치 들기(heel rise) 운동과 TSt 자세에서 안정성을 증진시킬 수 있는 운동을 시행한다.

5) 과도한 안쪽 들림(excess inversion)

(1) 보행 편차

- 정상보다 큰 안쪽 들림이 나타난다.

(2) 영향을 주는 손상

- WA, SLS 동안 앞정강근(tibialis anterior), 뒤정강근(tibialis posterior), 가자미근(soleus)의 과활성(overactivity), 종아리근(peroneals) 약화, 발등굽힘근의 조절 손상, 발바닥쪽굽힘 구축
- TSw 동안 정강뼈의 안쪽 비틀림(internal tibial torsion)

(3) 임상적 해석

IC, LR 동안 발의 외측면이 닿고 안쪽들림(inversion)되면 발목을 접질리게 되는 위험이 높아지고 낙상의 원인이 된다. WA 동안 처음 지면에 닿을 때 발목의 정렬과 안정성은 매우 중요한 달성 과제이다. 안쪽들림 정도를 검사하여 발목 보조기가 필요하다고 판단되면 UD flex 보조기를 사용하거나 LP-634 발목 보호대를 착용한다. pretibial 근육의 긴장도를 떨어뜨리기 위해 지속 신장운동을 시행하고, external tibial torsion 방향으로 움직임을 조절하도록 훈련하며, dorsi-eversion 동작의 훈련을 시행하고, 종아리근(peroneals)의 근력 강화 훈련을 시행한다. 손상이 심한 경우 운동 치료의 효과가 크지 않다. 보행 속력이 빨라지고, 보폭이 길어지게 되면 발목관절에서 안정성의 요구는 더 커지게 되어 보조 없이 조절하기는 매우 어려워진다. 확실한 안정성을 확보하기 위해 발목 보조기가 필요한 경우가 많다.

6) 발끌림(drag)

(1) 보행 편차

- SLA 동안 발가락, 발이 지면에 끌린다.

(2) 영향을 주는 손상

- SLA 동안 엉덩관절 굽힘근 약화, 무릎관절 굽힘근 약화, 발등굽힘근 약화 또는 무릎관절 굽힘 가동범위 제한
- 고유감각 결손

(3) 임상적 해석

흔듦기 동안 매우 흔히 발생하는 문제이다. 발끌림은 균형 조절에 영향을 미치고 낙상의 위험과 직결되어 있다. 또한, 다리를 앞으로 옮기는 데 방해가 된다. SLA 동안 발끌림 없이 이동하기 위해 필요한 무릎관절의 굽힘 과제를 달성해야 한다. 무릎관절 굽힘 동작이 포함된 계단을 오르고 내리기, 경사로 오르기, 뒤로 걷기 훈련 등을 시행한다. 발목관절의 발등굽힘 각도를 증가시키기 위해 발목 보조기 사용을 고려할 수 있다.

발끌림이 있는 경우, 보행 속력을 증가시키는 것을 주의해야 한다. 보행 속력이 증가되면 보폭이 증가하고, TSt 동안 엉덩관절의 폄이 증가하여 오히려 발끌림의 가능성이 증가할 수 있고 낙상의 위험이 증가된다. 치료사는 환자의 발끌림 정도와 적절한 보행 속력을 잘 고려하여 환자에게 안전하게 보행할 수 있도록 설명하고 훈련해야 한다.

선 자세에서 무릎관절 굽힘(엉덩관절 중립위치에서)을 수행할 수 있는 무릎관절 굽힘근의 근력이 있다면 이를 이용하여 발끌림을 완화할 수 있다. 이는 발끌림이 있는 경우 무릎관절 굽힘근을 강화하여 흔듦기 수행을 향상시킬 수 있다.

보행 속력을 증가시켜야 하는데, TSt 이후에 PSw 동안 다리를 앞으로 옮기는 타이밍이 지연된다면 환자에게 "다리를 뒤에서 앞으로 당기세요!" 라고 주문하고, 보행 훈련 중 다리를 당기는 타이밍을 빠르게 수행할 수 있도록 유도한다. 최선은 발 밀기(push off)를 훈련하는 것이지만 환자의 발목관절 움직임 수행이 어렵다면 차선으로 엉덩관절에서 발 들기(pull off)를 훈련한다.

7) 반대쪽 도약(contralateral vaulting)

(1) 보행 편차

: 흔듦기 동안 반대쪽 디딤기의 발목관절에서 능동적인 발바닥쪽굽힘이 나타난다.

(2) 영향을 주는 손상

- SLA 동안 다리의 이동을 보상하기 위해 반대쪽의 딛고 있는 다리에서 도약(뒤꿈치 들기)이 나타난다.

(3) 임상적 해석

주로 마비측 다리의 SLA 동안 비마비측에서 나타난다. 마비측 다리가 앞으로 이동하는 데 필요한 모멘트의 부족과 SLA 동안 발끌림 등을 보상하기 위해 반대쪽 다리에서 나타나는 움직임이다. 마비측 다리의 SLA의 달성과제 수행을 회복시키면 보상작용이 감소하게 된다. 엉덩관절 굽힘근의 약화가 있는지 확인하고 발 들기 수행이 가능한지 검사한다. 발끌림이 있는 경우 발목관절의 문제를 확인하고, 발목보조기 사용이나 SLA 동안 발끌림 없이 이동(foot clearance) 달성에 필요한 요소들을 훈련한다.

02. 무릎(knee)

무릎관절의 보행 편차는 엉덩관절과 발목관절의 영향을 많이 받는다. 무릎관절의 문제를 해결하기 위해서는 엉덩관절과 발목관절을 함께 고려해야 한다.

1) 제한된 무릎 굽힘(limited knee flexion)

(1) 보행 편차

- LR, PSw, ISw 동안 무릎관절 굽힘이 제한되고 폄이 나타남

(2) 영향을 주는 손상

- WA 동안 넙다리 네갈래근의 약화, 발등굽힘근의 약화, 장딴지근의 단축, 무릎 통증, 넙다리 네갈래근의 과긴장(hypertonicity), 고유감각 결손
- SLA 동안 엉덩관절 굽힘근 약화, 발목관절 발바닥쪽 굽힘근 약화, 무릎관절의 굽힘 조절 손상, 무릎 통증, 무릎관절 폄근의 과긴장, 무릎관절 폄 구축, 뒤넙다리근 과긴장, 뒤넙다리근 약화

(3) 임상적 해석

무릎관절은 두 번의 굽힘이 WA, SLA 동안 나타난다.

① WA 동안 무릎관절의 굽힘 제한은 충격을 흡수하지 못하고, 정강뼈(tibia)가 앞으로 이동하지 못한다. 그리고 무릎관절 뒤쪽 연부조직에 가해지는 스트레스로 인한 손상의 가능성이 있다.
WA 동안 무릎관절 움직임 조절에 기여하는 손상은 먼저 발목관절에서 확인이 필요하다. 발목관절에서 발바닥쪽굽힘근의 단축을 검사하고 발등굽힘 각도를 만들 수 있게 신장운동을 시행한다.
WA 동안 무릎관절의 굽힘은 발목관절의 발등굽힘(rocker motion)과 동시에 나타난다. 이는 발등굽힘근의 강한 활성으로 정강뼈(tibia)를 앞으로 이동시키고 발목관절의 안정성을 확보하여야 무릎관절 굽힘 움직임이 나타나게 된다. 발등굽힘근의 약화와

발바닥쪽굽힘근의 원심성 조절이 되는지 검사하고 발목관절의 안정성을 확보할 수 있도록 훈련한다. 안정성 확보를 위해서 필요하다면 발목 보조기를 착용하기도 한다.

넙다리 네갈래근 약화 또는 과긴장으로 인해 무릎 굽힘 움직임을 원심성 조절하지 못할 수 있다. 고유감각의 결손이 있다면 역시 조절하기 어렵다.

WA (DLS) 자세를 취하고 무릎관절의 굽힘과 폄 동작을 반복해서 훈련하며 원심성, 구심성 활성을 연습한다. WA 동안 무릎관절 폄근의 원심성 조절은 관련된 근력과 고유감각의 손상이 경미한 경우에 조절이 가능하다. 무릎관절에서 빠른 폄(thrust)이 나타나지 않도록 주의해야 한다.

② SLA 동안 무릎관절의 굽힘 제한은 발끌림 없이 이동(foot clearance)을 방해하고, PSw 동안 무릎관절 굽힘이 감소하면 보통 ISw에서도 무릎관절 굽힘이 감소한다. 무릎관절 굽힘 제한은 다른 관절에서 보상작용이 요구되고, 결국 에너지 비용이 증가하게 된다.

PSw 동안 무릎관절 굽힘의 능동요소인 엉덩관절 굽힘근과 발바닥쪽굽힘근의 약화를 검사한다. 다음은 무릎관절 폄근의 긴장도 증가나 연부조직의 뻣뻣함(stiffness)을 검사한다. PSw 동안 마비측 다리가 신체보다 뒤쪽에 위치한 상태에서 움직임을 조절하기 때문에, 감각 결손이 있는 환자의 경우에는 움직임을 지각하지 못한다. PSw 자세를 취하여 무릎관절 굽힘 움직임을 수행해보고 뻣뻣함이 있는지, 근력의 약화가 있는지, 감각 결손이 있는지 확인한다.

움직임의 최선은 발목관절에서 발 밀기 수행이 나타나는 것이지만, 발목관절에서 발바닥쪽굽힘 움직임이 나타나지 않는 경우가 많다.

차선으로 SLA 동안 발끌림을 방지하기 위해서 발목관절 발등굽힘과 엉덩관절 굽힘, 무릎관절의 굽힘을 능동적으로 수행하도록 훈련한다.

2) 과도한 무릎관절 굽힘(excess knee flexion)

(1) 보행 편차

- WA, SLS 동안 무릎 폄 대신 과도한 무릎관절 굽힘이 나타난다. 또는 TSw 동안 무릎관절 굽힘이 지속된다.

(2) 영향을 주는 손상

- WA, SLS 동안 무릎관절 굽힘 구축, 무릎관절 굽힘근의 과긴장, 무릎 통증
- 엉덩관절의 과도한 굽힘, 발목관절의 과도한 발등굽힘의 이차적인 영향으로 무릎관절의 굽힘이 나타난다.
- TSt 동안 반대쪽의 IC를 위해 딛고 있는 다리에서 자세를 낮추기 위한 보상작용으로 나타날 수 있다.
- SLA 동안 무릎관절의 굽힘 구축, 넙다리 네갈래근 약화, 뒤넙다리근 과긴장
- TSw 동안 무릎관절의 과도한 굽힘이 나타나고 이후 IC 때, forefoot contact 또는 foot-flat이 함께 나타난다.

(3) 임상적 해석

무릎관절에서 과도한 폄을 방지하기 위해 무릎관절을 구부리고 걷는 경우가 있다. 하지만 디딤기 동안 과도한 무릎굽힘은 발바닥쪽굽힘근, 무릎관절 폄근, 엉덩관절 폄근의 에너지 비용을 증가시킨다.

WA 동안 무릎관절의 과도한 굽힘에 영향을 주는 손상을 검사한다. 무릎관절의 직접적인 구축이나, 과긴장, 통증을 검사한다. 엉덩관절 폄근, 발목관절의 발바닥쪽굽힘근의 근력 약화를 검사한다. 발목관절 발바닥쪽굽힘근의 약화가 있다면 AFO 착용을 고려해

볼 수 있다. 발목의 중립 위치가 고정된다면 무릎관절의 움직임 조절이 향상된다.

SLA 동안 무릎관절의 굽힘은 보폭을 감소시킨다. 그리고 IC 때 뒤꿈치 닿기를 방해하게 되며, TSw 동안 넙다리 네갈래근의 구심성 활성을 훈련한다. 뒤 넙다리근의 과긴장, 단축을 검사하고 TSw 동안 원심성 조절을 훈련한다.

3) 과도한 무릎관절 폄(knee hyperextension)

(1) 보행 편차

- WA, SLS 동안 정상보다 큰 무릎관절의 폄이 나타난다.

(2) 영향을 주는 손상

- WA, SLS, PSw 동안 넙다리 네갈래근의 과긴장 또는 약화, 고유감각 손상, 뒤넙다리근의 약화
- 다리의 안정성을 확보하기 위해 의식적으로 무릎관절을 폄시킴
- 발목관절 발바닥쪽굽힘 구축, 발바닥굽힘근의 과긴장, 엉덩관절 폄근의 약확, 엉덩관절의 굽힘 구축

(3) 임상적 해석

WA 동안 무릎관절의 과다폄은 충격 흡수를 방해하고, 정강뼈가 앞으로 이동하는 것을 감소시킨다. 무릎관절의 뒤쪽 연부조직의 손상 가능성을 증가시킨다.

약화가 있는 환자가 SLS 동안 다리의 안정성을 달성하기 위해 선택하는 가장 쉬운 방법은 무릎관절을 폄시키는 것이다. 이런 작용은 무릎관절 뒤쪽 연부조직의 수동 장력을 이용하여 체중을 버티게 한다. 무릎관절 폄의 각도가 클수록 연부조직에 가해지는 스트

레스가 크며 손상의 위험이 증가한다. 정강뼈가 앞으로 이동하여 발목관절의 발등굽힘 각도를 만드는 것을 방해하기 때문에 TSt 수행이 어려워진다. 이로 인해 반대쪽 보폭이 감소하고, 이는 역시 무릎관절 뒤쪽 연부조직에 지속적인 스트레스를 제공한다.

첫째, 발목관절의 발등굽힘 제한이 있는지 검사한다. 발목관절의 rocker motion이 나타나도록 훈련한다. WA 동안 발등굽힘근을 강화 훈련하고 발바닥쪽굽힘근의 뻣뻣함을 감소시키고, 유연성을 증가시킨다. heel rise 운동으로 수축하고, 이완하고, 신장시키는 과정을 훈련한다.

둘째, 무릎관절 움직임의 고유감각 손상 정도를 검사하고 SLS 동안 다리의 불안정한 느낌의 정도를 검사한다. 약간의 불안감으로도 환자는 무릎관절을 폄시켜 안정성을 달성하려고 한다. MSt, TSt 자세를 취하고 발목관절, 엉덩관절, 무릎관절의 정렬을 확인한다. SLS 동안 최대한 지지를 제공하여 안정성을 확보하고 점진적으로 자세 유지의 난이도를 증가시킨다. SLS 동안 정적인 다리의 안정성을 확보하는 것을 먼저 연습하고 다음 움직임을 조절하는 연습을 진행한다.

셋째, 골반의 뒤 기울임(posterior tilt)을 보조해준다. 골반이 앞 기울임이 나타나면 무릎관절은 폄된다. 골반에서 뒤 기울임이 적절하게 나타나도록 치료사가 핸들링을 통해 보조해줄 수 있다.

무릎관절 움직임의 정확한 조절은 엉덩관절, 발목관절, 무릎관절을 지나는 근육들의 충분한 활성이 필요하고 고유감각 그리고 협응과 균형조절이 필요하기 때문에 훈련이 매우 어렵다. 최선은 정상적인 움직임 조절을 훈련하는 것이지만 쉬운 과제는 아니다. 차선책으로 무릎관절 과다폄이 계속 증가되지 않도록 발등굽힘의 가동범위를 확보하고 TSt 자세를 만들 수 있도록 훈련한다. TSt 동안 지면반발력의 벡터의 방향이 무릎관절 뒤를 지나도록 하여 무릎관절 폄 모멘트를 감소시킬 수 있다.

03. 엉덩관절(hip)

1) 제한된 엉덩관절 굽힘(limited hip flexion)

(1) 보행 편차

- SLA, WA 동안 정상보다 엉덩관절 굽힘이 적게 나타난다.

(2) 영향을 주는 손상

- SLA 동안 엉덩관절 굽힘근 약화, 뒤 넙다리근의 단축, 엉덩관절 폄근의 과긴장, 엉덩관절 통증, 발끌림
- TSw 에서 부족한 엉덩관절 굽힘으로 IC를 시작
- WA 동안 엉덩관절 굽힘근 약화, 엉덩관절 폄근 약화, 엉덩관절 폄근 과긴장

(3) 임상적 해석

SLA 동안 뒤넙다리근의 단축, 엉덩관절 굽힘근의 약화, 엉덩관절 폄근의 과긴장, 엉덩관절 통증, 발끌림 등이 걸음 길이(stride length)가 줄어드는 데 영향을 미친다. SLA 동안 엉덩관절 굽힘근이 충분한 모멘트를 생성하도록 근력 강화 훈련이 필수적이다. 또한 PSw,

ISw 동안 보행 속력에 관여하는 발 들기(pull-off) 힘 생성이 중요하다. 엉덩관절 굽힘근의 근력을 검사하고 근력 강화 운동이 꼭 포함되어야 한다.

또 다른 원인은 WA 동안에는 충격 흡수에 필요한 엉덩관절 폄근의 충분한 근육 활성이 필요한데, 이것이 약화됨으로 인해 엉덩관절 굽힘을 수행하지 못하는 것이다.

2) 과도한 엉덩관절 굽힘(excess hip flexion)

(1) 보행 편차

- 디딤기 동안 엉덩관절 폄이 부족하게 나타난다.

(2) 영향을 주는 손상

- WA, SLS 동안 엉덩관절 굽힘 구축, 과도한 발등굽힘, 과도한 무릎관절 굽힘이 함께 나타난다.
- 엉덩관절 폄근, 무릎관절 폄근의 근활성 요구도가 증가한다. 에너지 효율이 저하된다. 디딤기 동안 다리 안정성이 저하된다.
- SLA 동안 무릎관절 굽힘이 제한되고, 발바닥쪽굽힘과 발끌림이 있을 때 다리를 높이 들기 위해 과도한 엉덩관절 굽힘이 나타난다.
- 에너지 비용이 증가하지만 발끌림을 보상할 수 있다.

(3) 임상적 해석

디딤기 동안 엉덩관절의 과도한 굽힘은 발목관절과 무릎관절을 함께 고려해야 한다. 실제 엉덩관절 굽힘근의 단축이 있는지 검사하고, 무릎관절과 발목관절에서 구축을 검사한다. 발목관절과 과도한 발등굽힘은 관절이 고정된 AFO 발목 보조기를 사용하여 중립

위치로 만들 수 있다면 무릎관절과 엉덩관절에서 폄을 보조할 수 있다.

TSt 동안 엉덩관절의 폄이 나타나지 않는다면, 다리를 앞뒤로 벌리고 선 다음 TSt 자세에서 엉덩관절 폄을 유지하는 훈련을 시행한다.

SLA 동안 무릎관절이 굽혀지지 않고 발이 끌린다면 엉덩관절에서 과도한 굽힘이 나타난다. PSw 동안 무릎관절이 굽혀질 수 있도록 훈련한다.

3) 다시 뒤로 움직임(past retract)

(1) 보행 편차

- TSw 동안 다리가 앞으로 이동하고 다시 되돌아와서 지면에 닿는 움직임이 나타난다.

(2) 영향을 주는 손상

- SLA 동안 뒤넙다리근 과긴장(hypertonicity), 넙다리 네갈래근 약화, 고유감각 손상, 반대쪽 다리의 SLS 동안 안정성 저하

(3) 임상적 해석

SLA 동안 다리가 앞으로 뻗어지고 다시 되돌아와서 IC를 하여 보폭이 감소한다. SLA 다리의 문제일 수도 있고 또는 반대쪽 TSt 수행을 확인한다. 반대쪽 다리의 엉덩관절 폄(TSt)을 수행하도록 유도하여 반대쪽 다리의 보폭을 증가시킨다.

4) 휘돌림 보행 또는 엉덩이 높이 들기(Circumduction gait or Hip hiking)

(1) 보행 편차

- 벌림, 가쪽돌림, 모음, 안쪽 돌림으로 휘돌림 보행 패턴이 나타난다. 흔듦기 동안 엉덩관절, 골반을 올린다.

(2) 영향을 주는 손상

- 발끌림을 보상하기 위해 나타난다.
- 엉덩관절 굽힘, 무릎관절 굽힘, 발등굽힘 제한에 의한 SLA 동안 다리의 굽힘 감소
- 다리를 구부리고, 앞으로 옮기기 위한 근력의 약화

(3) 임상적 해석

SLA 동안 무릎관절 굽힘 없이 다리는 바깥 돌림되고 벌림되며 골반은 올라간다. 휘돌림 보행 패턴과 골반이 올라가는 움직임이 함께 나타나는 경우가 많고 다리가 끌리지 않고 앞으로 옮기기 위한 보상작용이다.

PSw 동안 무릎관절의 굽힘에 관여하는 엉덩관절과 발목관절의 근육들의 수행을 확인하고 관련된 동작을 훈련한다.

정상 보행에서 SLA, 특히 PSw 동안 골반은 아래로 떨어지고 ISw 동안 중립 위치로 올라간다. 이와 반대로 엉덩관절 높이 들기(hip hiking)는 발이 지면에 걸리지 않게 하기 위해 다리를 들어 올리는 보상작용으로 사용된다. 이런 보상작용은 에너지 비용을 증가시킨다. PSw 동안 골반은 아래로 떨어지고 발바닥쪽 굽힘근의 활성을 유도하여 무릎을 구부릴 수 있도록 훈련한다.

정상 보행에서 PSw, ISw 동안 무릎관절 굽힘근의 활성이 나타나지 않지만 발끌림을

보상하기 위해서 무릎관절 굽힘근의 능동적인 사용을 훈련할 수도 있다.

04. 병적 보행 요약

보행 장애 환자에게 나타나는 각 관절의 보행 편차를 알아보았다. 치료사는 가능성 있는 손상을 검사하고 관련된 손상을 회복시키기 위한 중재를 시행한다. 그리고 동작의 목적을 달성할 수 있도록 중재를 계획하고 훈련한다.

보행 장애 환자는 개별적인 접근이 필요하다. 환자의 보행 양상은 다양하고 손상 정도 역시 다양하기 때문이다. 제시된 가능성 있는 손상과 임상적 해석은 일부이다.

중요한 것은 환자의 보행 편차를 찾고 수행의 변화를 찾아보는 것이다. 계속해서 환자의 보행 패턴을 기록하고 수행의 변화를 찾아내려고 노력하고 있다. 이를 위해서 치료사의 의사 결정 과정이 매우 중요하다고 생각한다. 치료사는 의사 결정 과정을 기록하고 수행 전과 후를 비교하여 수행의 변화를 관찰할 수 있어야 한다. 이 책이 그 과정에 조금이라도 도움이 되기를 바란다.

참고문헌

1. Lehmann, J. F., de Lateur, B. J., & Price, R. (1992). Biomechanics of normal gait. Physical Medicine and Rehabilitation Clinics of North America, 3(1), 95-109.
2. Perry, J. (1989). Observational gait analysis handbook. Pathokinesiology Serv. Phys, 36.
3. Whittle, M. W. (2007). Gait analysis (pp. 101-136). Edinburgh, UK:: Butterworth Heinemann. P. 52
4. Perry, J., & Burnfield, J. M. (2010). Gait analysis. Normal and pathological function 2nd ed. California: Slack. P. 9-16
5. Perry, J., & Burnfield, J. M. (2010). Gait analysis. Normal and pathological function 2nd ed. California: Slack. P. 9-16
6. 이문규, '보행 훈련 넌 어떻게 하니?' (특강, 서울재활병원, 2013).
7. Neumann, D. A. (2010). Kinesiology of the musculoskeletal system; Foundation for rehabilitation. Mosby & Elsevier. P.532
8. Sutherland, D. H. (2001). The evolution of clinical gait analysis part l: kinesiological EMG. Gait & posture, 14(1), 61-70.
9. Andersson, E. A., Nilsson, J., & Thorstensson, A. (1997). Intramuscular EMG from the hip flexor muscles during human locomotion. Acta Physiologica Scandinavica, 161(3), 361-370.
10. Ishikawa, M., Komi, P. V., Grey, M. J., Lepola, V., & Bruggemann, G. P. (2005). Muscle-tendon interaction and elastic energy usage in human walking. Journal of applied physiology, 99(2), 603-608.
11. Chleboun, G. S., Busic, A. B., Graham, K. K., & Stuckey, H. A. (2007). Fascicle length change of the human tibialis anterior and vastus lateralis during walking. journal of orthopaedic & sports physical therapy, 37(7), 372-379.
12. Wall, J. C., Charteris, J., & Turnbull, G. I. (1987). Two steps equals one stride equals what?: the applicability of normal gait nomenclature to abnormal walking patterns. Clinical Biomechanics, 2(3), 119-125.
13. Ellis, E. (2005). Science-based rehabilitation: theories into practice. Elsevier Health Sciences. P.87-106
14. Perry, J., & Burnfield, J. M. (2010). Gait analysis. Normal and pathological function 2nd ed. California: Slack. P. 165-174
15. Bleyenheuft, C., Bleyenheuft, Y., Hanson, P., & Deltombe, T. (2010). Treatment of genu

recurvatum in hemiparetic adult patients: a systematic literature review. Annals of physical and rehabilitation medicine, 53(3), 189-199.
16. Neumann, D. A. (2010). Kinesiology of the musculoskeletal system; Foundation for rehabilitation. Mosby & Elsevier. P.529
17. Ralston, H. J. (1965). Effects of immobilization of various body segments on the energy cost of human locomotion. Proc. of 2nd Int. Cong. on Ergonomics, 53-60.
18. Olney, S. J., & Richards, C. (1996). Hemiparetic gait following stroke. Part I: Characteristics. Gait & posture, 4(2), 136-148.
19. Ellis, E. (2005). Science-based rehabilitation: theories into practice. Elsevier Health Sciences. P.163-164
20. Carr, J. H., & Shepherd, R. B. (2011). Neurological Rehabilitation, 2e. Elsevier India. P.15-55
21. Carr, J. H., & Gentile, A. M. (1994). The effect of arm movement on the biomechanics of standing up. Human Movement Science, 13(2), 175-193.
22. Olney, S. J. (2005). Training gait after stroke: a biomechanical perspective. Science-based Rehabilitation: Theory into Practice, 159-184.
23. Ellis, E. (2005). Science-based rehabilitation: theories into practice. Elsevier Health Sciences. P.174
24. 추도연, '과제지향적 보행훈련' (보행훈련세미나, 서울재활병원, 2010).
25. Boakes, J. L., & Rab, G. T. (2006). Muscle activity during walking. Human Walking. Lippincott Williams and Wilkins, Baltimore. P 103-118